超短編小説序論

渡邊晴夫　著

はしがき

中国の微型小説についての最初の小論を一九八六年にまとめた時、近現代日本の掌篇小説についてもあわせて調べみた。日本の掌篇小説のことが多少ともわかれば、それとの比較で、中国において新しい形式である微型小説の特徴も明らかになるのではないか、と考えたからである。調べはじめて知ったのだが、掌篇小説があまりにマイナーな形式であるためか、文学史の本を見ても掌篇小説（或いはコント、ショートショート）という言葉すら載っていない場合がほとんどであった。目にし得た範囲では瀬沼茂樹『大正文学史』が、雑誌『文藝日本』と川端康成の掌篇小説について短くふれているだけであった。また文学辞典類でこの形式についての項目が含まれているものも必ずしも多いとは言えず、載っている場合もその説明はあまり詳しいとは言えなかった。

或る小説家がショート・ショートの定義を確かめようとして、手元の文学辞典類を調べたところ、言葉そのものが見当たらず、「まだその程度の文学的な市民権を得ていないということになるのだろうか」という疑問を表明したことがあった。私が調べはじめるほんの数年前のことである。この小説家、山口瞳はある用語辞典を調べて、ようやくショート・ショートという言葉の解説を見つけている。

つまり、手っとり早く掌篇小説或いはショート・ショートの定義を知りたいと思っても、少しは苦労しなければならないということである。まして少し詳しく何時ごろからこの形式の作品は書かれるようになったのか、過去にこのジャンルについてどんな議論があり、今はどう考えられているのか、どういう人がどんな作品を書いているのか、この形式の現在までの消長はどうであったのか、というようなことを知ろうとすると、これはそう簡単ではないということである。何かをみれば載っているわけではなのである。

個々の作家の掌篇小説集、コント集、ショートショート集は、数えればかなりの数に上るが、多くの作家の掌篇、ショートショートを収めた作品集は必ずしも多くはないし、明治以後現代までの各時代の掌篇を集めたものは、管見のかぎりではわずかに一種あるだけである。これは個々の作家にはこの形式に関心を持ち、試みている人もいるが、一般にジャンルそれ自体にはあまり関心はない、ということを示しているのだと思う。

川端康成の掌の小説については、渋川驍、長谷川泉、羽鳥徹哉、松阪俊夫の諸氏がすぐれた評論、論文を書いているが、掌篇小説というジャンルそのものについての研究は、殆どないと言ってよいだろう。

こういう状況は、掌篇、ショートショートというジャンルが日本の文学に占める地位の反映と言える。山口瞳ではないが、その程度の市民権しか得ていないのかもしれない。

当たり前のことだが、読者は作品を読むのであって、ジャンルそのものに関心があるわけではない。とくに文学に関心があるようには見えない若い人も、星新一のショートショートは読んだことがあるという。中学校の国語の教科書にその作品が入っていたからというだけではなく、自分で買ったり、図書館で借りたりして読んだというのである。中には面白くてほとんどの作品を読んでしまったという中学生も、私の身近かにいる。同じショートショートの書き手でも、星新一のように幅広い年齢層の読者をもち、ショートショートと言えば星新一というようにその名前がジャンルと結びついた人は他にはいない。結城昌治、筒井康隆、小松左京、都築道夫、山口瞳、阿刀田高、半村良、赤川次郎、村上春樹というような作家も、それぞれ多くの愛読者を擁しているが、その本領はむしろ短篇や長篇などの他のジャンルで発揮されているので、この人たちがショートショートを多数書いていることは、あまり知られていないのではないか。少なくともその知名度はショートショートと結びついたものではないと思う。

川端康成を始めとして、吉行淳之介、島尾敏雄などは優れた掌篇小説をかなりの数書いている。しかし、この人たちもそれぞれ長篇或いは短篇の代表作によってその名前は読者に記憶されていると言ってよいだろう。

掌篇、ショートショートは、一時期盛んに書かれ、流行といってもよい状態がしばらく続くということが、これまでに何度かあったが、その流行が長続きすることはなかった。そのためか、それともその容量が小さいためか、たしかに一つのジャンルとして存在してきたことは、してきたのだが、長篇、短篇と比べると片隅の存在であることを免れなかった。その結果、川端康成の「掌の小説」についての研究はあっても、掌篇、ショートショートというジャンルそのものについての解明はこれまでほとんどなされてこなかったのである。

ところが中国では、日本のこの形式に相当する「微型小説」が、一九八〇年代の初めから盛んに書かれるようになり、二十年近い盛況がつづく中で創作、研究ともに、日本では見られないような独自の発展をとげている。八〇年代の半ば過ぎからその状況に関心をもち、日本での状況と対比しながら、少しずつ現状と歴史について調べてきた。

調べているうちに少しずつ両国における掌篇という形式をめぐる全体的な状況がわかってきた以外に、副産物としてわかったこともある。たとえば菊池寛の「短篇の極北」という評論は、日本に於いて最初に短篇より短い小説を論じ、紹介したものであることは知られているが、これが新聞に掲載された直後に、当時日本に留学中であった郭沫若がたぶんそれを読み、触発されて、かれの最初の小説「他」(「彼」)を書いたのではないかということ、或いは「掌篇小説」という名称が大正末年のコント流行時にできたものであり、その命名者は中河與一であるはずなのに、いくつかの国語辞典には命名者は千葉亀雄とする誤った記述が見られるが、それはどうしてなのかということ、などである。

ただ、私の主な関心が掌篇というジャンルの成立、その発展、展開という歴史的なことにあったため、作品そのものをとり上げて論ずるということはあまり出来ないで終わっている。本書の中身の乏しさに身のすくむ思いを禁じえないが、中国と日本の掌編、ショートショートについて多少とも論じた書物がこれまで一冊もないことを考えて、あえて「抛磚引玉」とする次第である。

つまり、もう少し内容のある本格的な掌篇小説論は今後に残された課題ということになる。そこで本論の前に置かれるものという意味で本書の題を『超短編小説序論』とした。「超短編小説」という名称を用いたわけは、序章で明らかにしたいと思う。

一九九九年十一月

超短編小説序論

目次

序　章

一、超短編という名称について

ここ数年、日本では従来の掌篇小説、ショートショートに代わって超短編小説という名称が使われているのをしばしば目にする。欧米のショートショート集の翻訳の題名や雑誌の特集の題目、文庫の帯の広告の文句、作品集のタイトルの一部などに「超短編小説」という言葉が使われており、ひとつの新しいジャンル名として定着しつつあるという感じを受ける。[1] 超短編という呼称は以前にも使われたことがあったが、それは掌篇という形式を指す場合[2]と長さという点ではほとんど同じであるのにむしろそれとは対比される作品を指す場合[3]との両様に使われたのであった。本書の題に「掌篇、ショートショート」という意味で「超短編」というまだ一般に認められたとはいえない新しい名称を用いたのは、中国においても、短篇より短いこのジャンルを指す言葉として「超短篇（チャオドゥアンピエン）」という呼称が存在するので、日中両国のこの形式を一語で概括できるという便利さがあるからにほかならない。

日本の近現代文学において、大正末年にこの形式が最初の流行を迎え、一つの新しいジャンルとして認知されたときに用いられた名称は、コントと掌篇小説であった。戦後、一九五九年にショート・ショートという新しいジャンル名が生まれ、以後数年にわたる流行のなかで、この名称が定着していったことは、まだ記憶に新しいことである。

中国では一九二〇年代から短篇より短い作品を「小小説（シアオシアオシュオ）」と呼び、以来ずっとこの名称が用いられてきた。一九五〇年代には「一分鐘（イィフェンチョン）小説」という呼称もつくられた。一九八〇年代に入って、このジャンルはかつてない盛況を迎え、数多くの呼称が現れたが、そのうち「微型（ウェイシン）小説」「超短篇小説」などが新たな名称として定着している。

台湾では小小説のほかに「極短篇チイドゥアンピエン」という呼称が好んで使われ、香港ではそれらに加えて「迷你（ミニ）小説」という名称も用いられている。

論を進めるにあたって、本文ではその時々に使われた名称を用いるが、両国におけるこのジャンルの発生、展開、交流、現状などを扱う本書の題には、両国で共通するジャンル名、超短編を用いることで、内容を端的に示すことができると考えたわけである。

二、近現代における三度の盛衰と四度目の流行

掌篇、ショートショートという形式は、その短さの故に飽きられるのか、ある時期盛んに書かれ、読まれるという流行といってもよい状態がしばらくつづいたあと、衰退し、あまり顧みられなくなるということを、繰り返してきている。日本においては過去に三度かなり大きな流行と衰退を経験した。最初は大正十三年から十五年の二年余りで、フランスから帰った岡

田三郎がコントを提唱し、二十行小説[4]を発表したことがそのきっかけとなった。『文藝春秋』『文藝時代』『文章倶楽部』『文藝日本』などの雑誌に作品（二十行小説、十行小説、コント）とそれを論ずる評論が毎号のように掲載された。『新潮』合評會でもコントについて二度取り上げられ、芥川龍之介、菊池寛、廣津和郎なども論議に加わっている。作品は岡田三郎、武野藤介、川端康成らが特に数多く発表しているが、当時の若手、中堅の作家はたいていこの形式に手を染めている。評論では川端康成、岡田三郎の活躍が目立った。この時期中河與一がこの形式にたまたま与えた「掌篇小説」という呼び名がその後ジャンルを表す名称として定着した。大正十五年の後半には流行ははやくも下火になっている。

二度目は昭和六年から七年のほぼ二年で、プロレタリア文学運動の中に現れた壁小説のとりくみである。昭和六年二月号の『戰旗』に壁小説という呼び名の、見開き二頁に収まる短い作品が二篇載ったのをかわきりに、以後『ナップ』『プロレタリア文學』『文學新聞』などプロレタリア文学運動関係の刊行物が盛んに壁小説を掲載しただけでなく、『中央公論』も昭和六年と七年に一度ずつ壁小説の特集を組み、『朝日新聞』『時事新報』の文芸時評でも壁小説がとりあげられ、論じられた。小林多喜二、徳永直、黒島傳治、谷口善太郎、村山知義、窪川いね子、中野重治などのプロレタリア文学を代表する作家のほかに後に文壇に出た高見順、武田麟太郎、本庄睦男、立野信之など当時プロレタリア文学運動に加わっていた多数の作者が壁小説の創作に取り組んでいる。小林多喜二が壁小説の意義を何篇かの評論、文芸時評などのなかで力説したほか、江口渙、窪川鶴二郎、橋本英吉、宮本顕治、川端康成などが文芸時評等で壁小説を論じている。運動そのものへの弾圧もあって昭和八年にはほとんど書かれなくなった。

三度目は昭和三十五年から三十七年頃である。昭和三十四年『エラリィクイーンズミステリーマガジン』一月号でショート・ショートという言葉がはじめて使われたあと、この呼称はコントに代わる新しいジャンルの名称として急速に普及し、『ヒッチコックマガジン』『宝石』など推理小説系統の雑誌にショートショートが盛んに掲載されるようになる。アメリカのショートショートの理論[5)]も紹介され、新聞や雑誌にしばしばショートショートが載るという状況のなかで、名称が生まれた二年後には「ショートショートは、目下大流行の観がある」という状況を迎える。この時ショートショートの書き手として認められたのは、星新一、都築道夫、山川方夫、結城昌治、筒井康隆、眉村卓、河野典生、樹下太郎などである。アメリカのショートショート論の紹介者には都築道夫、中原弓彦(小林信彦)などがいた。この時の流行は昭和三十八年の『ヒッチコックマガジン』の停刊前後から下火となった。

四度目の流行は昭和五十四年あたりから始まる。『小説現代』が星新一を選者に「ショートショートの広場」を設け、作品を募ったところ、五千篇をこえる応募作品が集まったという。昭和五十五年二月発行の『サントリー・クオータリー』第五号の編集後記は、一九六〇年代とよく似た状況のもとでショートショートが好んで読まれていることを伝えている。[6)]昭和五十六年二月にはショートショートの専門誌『ショートショート・ランド』が創刊され、昭和六十年の停刊までに計二十二号が刊行されている。同誌上に最も多く作品を発表した作家は、阿刀田高、赤川次郎、横田順弥、小池真理子等である。ショートショート・コンテストの入選者の中から後にショートショート集を出す人もでた。[7] 昭和五十八年五月には『月刊カドカワ』が創刊され、吉行淳之介を選者として「掌編小説」の作品募集が始まる。毎月の入選者の発表のほかに、昭和五十九、六十の二年間に三度コンテストが行われ、入賞作品集が二冊刊行された。この時の流行は『ショートショート・ランド』の停刊と「掌編小説大賞」の中止によってひとまず終わった。この時期にショートショートの専門誌が刊行されたことと星新一のショートショート作品が千篇をこえたことは、特筆されるべきことであるが、理論、作品の上で新しい発展が見られたわけではなく、一九六〇年代の流行の再現、間欠的に繰り返される流行の一つであったと見てよいだろう。以来この短い形式は、特に大きな注目を集めることもなく、現在に至っている。近年、超短編という新しい名称が好まれていることは、すでに見たとおりである。

中国の近現代においても、日本とほぼ同じ頃に三度の盛衰が見られることは、興味深い現象と言えるだろう。微型小説の研究者劉海濤はそれを「三起三落サンチィサンルゥオ」（三度興起し三度衰退した[8]）と呼んでいる。

「中国の五四以来の微型小説の発展の歴史を整理してみると、三度興起し三度衰退した馬の鞍の形をしたひとすじの軌跡が、私たちの目の前にはっきりと浮かび上がってくる。[9]」

最初の「起」は、魯迅が「一件小事」（「ある小さな出来事」）を書いた一九一九年十二月に始まり、郭沫若「他」、謝冰心「三年」、劉半農「飢」、許地山「補破衣的老婦人」（「破れた服を繕う老女」）等が書かれた五四時期である。しかし、当時の微型小説はほとんどの作者が「短篇小説の構想、方法によって微型小説を書いていたので、〝短篇小説化〟という欠点が当時の微型小説の創作にははっきり存在していた。そのため五四時期の微型小説の創作は結局大きな成果をあげることができず、姿をみせたかと思うと、短篇小説の中に埋没してしまった。[10]」と評価されている。一九一九年は大正八年であるから、この形式の出現は日本より五年ほど早い。しかし、先の引用からも分かるように、新しいジャンルの作品を書くという意識は当時の作者にはなかったと見てよいだろう。これは日本の大正末年のコントの流行と異なる点である。

二度目は一九三〇年代から四〇年代にかけて、左翼文芸運動の高まりの中で文芸の大衆化の提起をうけて「墻頭小説」という名称の微型小説が書かれる。墻頭小説とは日本の壁小説の中国語訳で、日本のプロレタリア文学運動の影響下に生まれたものである。[11]雑誌『北斗』『文学青年』等が墻頭小説を提唱し、『文學新聞』『文學月報』『文學雜誌』『北斗』などに作品が掲載された。三〇年代の初め夏衍、草明等がすぐれた作品を書き、新しい書き手も生まれている。この形式は抗日戦争下の解放区でも再度提唱され、とりくまれただけでなく、一九五〇年代の末にもこの名称の作品が書かれている。日本における壁小説より長い生命を保ったと言える。この時期「小小的短篇[12]」という別名もあり、『拓荒者』にその名を冠した蔣光慈の作品が掲載されている。

三度目の興起は一九五〇年代の末である。いわゆる「大躍進」運動が始まった時で、その推進のために短い、啓蒙的な作品をという意図から、「小小説」が提起され、一九五八年の始めから各地の文学雑誌、『萌芽』『作品』『文藝月報』『北方』『長江文藝』などに大量の作品が掲載された。著名な作家では老舎、巴金も小小説を発表した[13]が、作者の大半ははじめて小説を書く一般大衆（労農兵）であった。この時の小小説ブームは雑誌での小小説の掲載状況で見るかぎり五九年の半ばくらいまでつづき、その後は退潮期に入ったと見てよいだろう。『新港』のように六〇年代に入ってから小小説のコラムを設け、ソ連の小小説論[14]を紹介するなど、この形式に特に関心を向けた雑誌もあったが、これは例外であった。一九五九年の始めに作家茅盾が「一鳴驚人的小小説[15]」という評論を書いて、この時の創作をまとめ、「自ずと個性をもった新しい品種」と規定した。しかし、この時の小小説は「ニュース・ルポルタージュ的な」色合いが濃かったため、この形式にアイデンティティを獲得させるには至らなかった、と指摘されている[16]。

一九八〇年代の始めに雑誌『小説界』が微型小説の創作を提唱して以後、微型小説の創作ブームが起こり、現在まで二十年近くそれが続いている。各地の新聞雑誌が競って微型小説のコンテストを実施し、その入賞者の中から小小説の専門作家が輩出している。多くの新聞雑誌が小小説を載せ、微型小説の専門誌が発行部数を大きく伸ばしている。多数のアンソロジーが刊行され、理論書も次々に出版されている。海外の作品の紹介にも意欲的である。作品はかつてのニュース・ルポルタージュ的な傾向を抜け出て、形式、内容ともに多様な作品が書かれるようになり、成熟の度合いを深めている。微型小説学会が作られ、中国語圏全体をカヴァーするコンクールも実施され、国際的な研討会も二度もたれた。このようにさまざまな面で日本にはない状況が出現していると言ってよいだろう。同じように「三起三落」を経験した後の四度目の状況が日本とはいささか異なっているのである。このような八〇年代以降の発展の状況をまず確認し、そのよって来るところを考えるところから論を進めたい。

注

1) 現代アメリカのショートショート集Sudden Fiction, American Short-short Stories, Edited by Robert Shapard and James Thomos, 1988, Penguin Books, の翻訳は、英語の原題をそのままSudden Fictionと使い、超短編小説70という副題を横に添えている（文春文庫、一九九四年一月）。同じ編者による、欧米、旧ソ連、中国、アジア、アフリカなど世界の各地域のショートショートを収めたSUDDEN FICTION INTERNATIONAL, W. W. NORTON AND COMPANY, New York, 1989, は、Sudden Fiction 2, として、超短編小説・世界篇、という副題が添えられている（文春文庫、一九九四年十月）。また、村上春樹のショートショート集『夜のくもざる』（平凡社、一九九五年六月）には、題の上に村上朝日堂超短篇小説という文字が印刷されている。ショートショート二十四篇を収めた『二十四粒の宝石』という作品集には、超短編小説傑作集という副題がついている（講談社文庫、一九九八年十一月、単行本は一九九五年十二月、講談社）。雑誌の特集の題目（『小説現代』一九九五年五月号、一九九六年五月号—「超短編小説25人集」）や文庫の帯の広告（『輝きの一瞬』講談社文庫、一九九九年一月—「名手30人による超短編小説の冴え」）などにも超短編という名称が使われている。『英米超短編ミステリー50選』EQ編集部編、光文社文庫、一九九六年八月）というのもある。ミステリーの分野では、以前からミニミステリという名称も使われている（『ミニ・ミステリ傑作選』エラリー・クイーン編、創元社推理文庫、一九七五年十月）。もちろん、ショートショート、掌篇小説という名称も従来どおり使われているので、現在はいくつかの名称が併存している状態にあるといえるだろう。

2)「最近、とみに流行のショート・ショートすなわち、日本の原稿用紙にして5―10枚程度の超短篇小説のことですが、発想は自ら短篇とはことなったものである筈です。」（『ヒッチコックマガジン』昭和三十五年八月号、「日米ショート・ショート特集」のまえがき）

3)「日本近代文学の流れのなかには、短編のなかのもっとも短い形としての超短編で、すぐれた作品がいくつかある。たとえば、この本の別項で扱った葉山嘉樹の「セメント樽の中の手紙」であり、梶井基次郎の「桜の木の下には」であり、太宰治の「満願」などである。だが、それらは、掌編といってもいいけれども、たぶん掌編ではなく、超短編であるだろう。なぜなら、それらの作品には、初めから掌編を目指した跡が見られないからだ。葉山にも梶井にも太宰にも、短編とは別個のジャンルとしての掌編という認識はなく、とにかく短い小説をという狙いはあって、材料をうまくまとめた結果、四百字詰原稿用紙にして十枚以内の超短編に仕上がったということである。

それに対して、川端康成の「掌の小説」は、初めから原稿用紙十枚前後、またはそれ以内という形の上の限定があり、その限定のもとに書かれているものである。」（右遠俊郎『こどもの目おとなの目―児童文学を読む』青木書店、一九八四年五月、「夏の靴」）

4)「二十行小説」（岡田三郎、『文藝春秋』大正十三年二月號、所載）

5) 中原弓彦「ショート・ショート作法」（『ヒッチコックマガジン』昭和三十五年九月号―十二月号、その後『別冊宝石』一〇七号、昭和三十六年七月に転載。アメリカのショートショートの研究家ロバート・オーバーファーストのショートショート論を紹介した。）

6)『サントリークオータリー』第五号、昭和五十五年二月、編集後記には、こうある。

「世は冷戦のリバイバルとかで、やかましい時代になりました。いささかいの原因は異なりますが、なにやらあの頃に似ています。ショート・ショートがよく読まれ、スタンドバーに人気が出、スパイ小説もご繁盛。まだまだ部分的ではありますが、実によく似ています。そういえば、簡素なスタンドバーでの静かないっぱいもたしかに六〇年代のライフスタイルでした。」

7) 江坂遊『あやしい遊園地』講談社文庫、一九九六年三月。同書には星新一の解説がある。江坂遊『短い夜の出来事』講談社文庫、一九九七年六月。江坂遊は「ショートショートの広場」コンテストに十一回入選した。

8)『微型小説的理論與技巧』中国人民大学出版社、一九九〇年八月、『現代人的小説世界―微型小説寫作藝術論』上海文藝出版社、一九九四年三月。

9)『微型小説的理論與技巧』前出、五九頁。

10)『現代人的小説世界―微型小説寫作藝術論』前出、八頁。

11) 孫犂「関于墻頭小説」(孫犂『耕堂雑録』河北人民出版社、一九八一年六月、七五頁)

12) 蔣光慈「老太婆與阿三」(『拓荒者』第一期特大号、一九三一年一月)

13) 老舎「電話」(『新港』一九五八年六月号)、巴金「小妹編歌」(『人民日報』一九五八年七月九日)

14) 阿・托尓斯泰「甚麼是小小説」(『新港』一九六二年四月号)

15) 茅盾「短篇小説的豊収和創作上的幾個問題」(『人民文学』一九五九年二月号)

16)『現代人的小説世界―微型小説写作藝術論』前出、一〇頁。

第一章　発展のさなかにある中国の微型小説

一、一九八〇年代に於ける微型小説の発展

一つのジャンルが盛況にあるという場合、まずその作品の質が問われるだろう。一九八〇年代から現在までの二十年近い年月を振り返って見ると、その一部を見ているに過ぎない私でも、この期間に発表された、すぐれた作品を数十篇挙げることは、さほど難しいことではない。しかし、盛況という状況をそれらの作品で全て代表させることはできない。作品は二十年の盛況の結果生まれたものであり、二十年にわたって盛況という状況が続くにはさまざまな要因が働いているからである。その中にはこのジャンルを求める時代的な要因もあるし、このジャンルを発展させようという人為的な努力も含まれている。まず一九八〇年代に於けるそういう外的な要因、このジャンルをめぐる状況から見ていくことにしたい。

文革後、微型小説という名称を最初に用いたのは、一九八一年に創刊された雑誌『小説界』（上海文藝出版社）である。同誌はそれまでの「小小説」という名称に代えて、「微型小説」という名称を採用し、微型小説の欄を設け、内外の作品を毎号のように載せただけでなく、微型

小説に関する評論も、積極的に掲載した。同誌の発行元である上海文藝出版社は微型小説に関心をはらい、『微型小説選』（一九八二年）をはじめとして数多くの微型小説のアンソロジーをこれまでに刊行している。[1]

『小説界』の動向が一つのきっかけとなって、『当代』『花城』『延河』『中国青年報』『文学報』『解放日報』などの雑誌、新聞も、微型小説を載せるようになった。一九八二年一〇月になると、鄭州市の『百花園』が、文革後全国で初めての小小説作品特集号を発行し、後に同誌は小小説の専門誌になった。一九八四年には微型小説の専門誌『中国微型小説選刊』（のち『微型小説選刊』と改題）が江西省南昌市で創刊され、一九八五年には『小小説選刊』が河南省鄭州市で創刊されている。

この初期に著名作家の王蒙、蒋子龍、劉心武、汪曾祺、従維熙、馮驥才、孟偉哉、張林、諶容、葉文玲などが、この新しいジャンルに関心を寄せ、すぐれた作品を書いて、このジャンルのもつ可能性を明らかにしたことが、発展を促す力となった。中でも王蒙はこの時期十数篇の作品をたてつづけに書いただけでなく、微型小説を推奨する評論[2]も数篇書いており、このジャンルへの愛好を示した。劉心武、蒋子龍、林斤瀾、汪曾祺なども評論を書いている。[3]こうした著名作家たちのとりくみは、ジャンルの発展のために大きな役割を果たしたと言える。

発展を促した要因の一つに、新しい作品と作家を生み出す場としてのコンクールもあった。最初の大きな催しは、一九八二年一月から七月にかけて行われた『北京晩報』と北京電視廠共催の「一分鐘小説」のコンクールではなかったか。六ヵ月で投稿作品は三万三七三篇に達し、その中から百三十五篇が入選作として選ばれ、発表されたという。一九八三年には『工人日報』、一九八四年には『解放日報』、一九八五年には『小説界』主催のコンクールがおこなわれ、一万から二万をこえる作品が集まっている。こういう大きなものも含めて八五年頃までに計十数回の微型小説の作品募集とコンクールがおこなわれた、という。専門誌『小小説選刊』は、一九八五年の創刊以来毎年同誌主催の小小説コンクールをおこなっているが、他の新聞、雑誌（例えば『中国青年報』『文学港』『西湖』『洛陽日報』『小説界』など）も、全国を対象としたコンクールを実施している。建国四十周年の一九八九年には、全国の十数の単位が微型小説のコンクールをおこなったと言われている。こうしたコンクールを通じて、後に微型小説の専門の書き手として知られるようになる鄧開善、呉金良、木樺などが、早くも一九八二年頃には、登場してきている。

コンクールの主催団体の殆どが、新聞、雑誌であることからもわかるように、定期刊行物の果たした役割は大きい。微型小説をしばしば（或いは常に）載せる雑誌、新聞が一九八四年には四〇〇種をこえたことが、いろいろな評論で確認されている[4]。また、それらに掲載された微型小説の総数は、八二年に二千篇だったのが、八四年には七千篇に増え、その後八九年に至って一万篇をこえたという。

専門誌紙がつぎつぎに発刊されていることも、このジャンルへの関心の高まりを示すとともに、さらなる発展を促す要因となった。はじめ、微型小説の専門誌は、『百花園』（河南省鄭州市、一九五〇年創刊）と『小小説』（黒龍江省双鴨市、一九八〇年創刊）の二誌だけであったが、その後『微型小説選刊』(前出)、『小小説選刊』(前出)、『精短小説報』(半月刊、吉林省長春市、一九八五年創刊)、『小小説月報』(河北省邯鄲市、一九九三年、創刊)が加わった。中でも『小小説選刊』と『微型小説選刊』は、紙の値上がり、出版コストの上昇などによって雑誌の発行部数が減った八九年にも、予約購読者が増えたと言われている。前者は一九九三年に通刊一〇〇号をこえ、発行部数は二十万部に達したと報道された[5]。

微型小説が短篇小説とは別個の独立したジャンルとして広く一般に認知されたのは、一九八四年頃と考えられる。中国新聞出版社が『一九八四年小説年鑑』を出版した時、はじめて微型小説を独立した一巻にまとめたが、これをもってその標識とする見方がある[6]。一九八四年から一九八六年頃に微型小説が盛況の一つのピークを迎えたことは、他の資料からも確かめることができる。その一つは微型小説に関する評論の年度毎の発表数(表一)[7]であり、もう一つは各種微型小説集の年度毎の発行点数(表二)[8]である。この数字はそれぞれ「微型小説評論小引」(『世界華文微型小説大成』江曾培主編、上海文藝出版社、一九九二年、所収)と「微型小説著訳書目」(同前)に依ったが、後者については参考までに私の手もとにある選集の数を( )に示した。重複しないものが若干あったからである。

表一に見るように、評論の数は、八四年に四十六篇と前年の十八篇の倍以上に急増している。選集の発行点数は、八六年に大きく増え、この年出版活動が盛んだったことを示している。これ自体盛況を示す一つの数字であるが、選集に収録された作品が発表されたのは、前年の八五年か八四年、あるいはそれ以前と考えられる。一例を挙げると、『微型小説選』6(江蘇文藝

出版社、一九八六年三月刊）に収められている九十九篇の作品のうち、八四年に発表されたものは九十五篇（八五年は三篇、八二年が一篇）である。

一九四九年の中華人民共和国建国以来の流行語を年度別に収録している『当代中国流行語辞典』（熊忠武主編、吉林文史出版社、一九九二年）によると、「微型小説」「小小説」「一分鐘小説」という言葉は、いずれも一九八六年の流行語として収録されている。因みに文学関係の他の用語の使われた年度を見ると、「傷痕文学」（一九七八年）、「改革文学」（一九七九年）、「朦朧詩」（一九八〇年）、「意識の流れ」（一九八一年）、「中篇小説」（一九八三年）、「尋根（ルーツ）文学」（一九八五年）というように、その言葉がよく使われた年度の流行語として拾われている。中篇小説と同じように微型小説も、名称そのものはそれ以前から存在したが、八六年によく使われたことを示すものである。一九八四年から八六年にかけて微型小説が盛況の一つのピークを迎えていたことは、以上に見たことで明らかであろう。

以後もこのジャンルが発展を続けていることは、微型小説の専門の書き手が次々に現れていることに示されている。一九八二年頃すでに鄧開善ら三名が登場したことは述べたが、つづいて劉連群、唐訓華、白小易、司玉笙、許行などが、コンクール等を通じて頭角を露わした。こうした新人たちの個人の選集が出はじめるのは、一九八八年からである。最も早かったのは、鄧開善の『太陽鳥』（上海文藝出版社、一九八八年八月）であり、つづいて木樺『市井奇人』（上海三聯書店）、生暁清『生暁清短小説集』が同じ年に出ている。後に「小小説専業戸」と呼ばれるようになる専門の書き手として劉国芳、沈祖連、孫方友、凌鼎年、張記書、程世偉、邵宝健、王奎山などが、八〇年代の末までに登場して、旺盛な創作意欲を示した。劉国芳の微型小説が五〇〇篇をこえたと報ぜられた[9]のは、一九九三年である。

一九八八年頃から微型小説をさまざまな角度から論じた専門の著作も刊行されるようになった。袁昌文『微型小説写作技巧』（学苑出版社、一九八八年二月）、劉海濤『微型小説的理論与技巧』（中国人民大学出版社、一九九〇年）などである[10]。

二、発展のさなかにある微型小説

九〇年代に入ってからも微型小説は順調な発展をとげているが、そのために様々なとりくみが行われたことが報ぜられている。その一つは微型小説の研究、討論集会である。

例えば、一九八九年十二月九日付の『文藝報』は、『小説界』『微型小説選刊』『解放日報』など十余りの新聞、雑誌の編集長、編集責任者などが、上海で微型小説創作の成果、現状、傾向と各雑誌、新聞の編集について研究、討論、交流を行ったことを報じている。一九九〇年五月十七日の『文学報』には、『百花園』雑誌社と鄭州市搪瓷総廠の主催で全国小小説創作文藝交流会、小小説創作理論検討会が、河南省信陽地区商城県で開かれ、全国十四の省、市、自治区の小小説作家が一堂に会し、中国の小小説創作の現状について経験を交流し、創作理論を検討したことが報じられている。同年九月には江蘇省太倉市文聯、太倉市文協、太倉市文芸理論研究会などが凌鼎年小小説作品討論会を開いたことを『文学報』『蘇州日報』などが報道した。凌鼎年は八〇年代の末に頭角をあらわし、その旺盛な創作活動が注目されている小小説の専門作家の一人である。これは所謂小小説の専門作家についての最初の検討会であった。同年十一月十日の『文藝報』は、広西の文聯等の組織が沈祖連小小説創作検討会を開催したことを報じた。沈祖連は広西欽州地区の青年作家で全国の新聞、雑誌にすでに二百篇余りの微型小説を発表し、微型小説集『蜜月第三天』を出版している。参会した武剣青、藍懐昌、王敬之、李宝靖、丘振声、馮藝、王育英、楊長勲、王保民ら専門家、研究者は、さまざまな角度から沈祖連の小小説について系統的で、全面的な検討を行ったと伝えられている。同様の検討会が吉林省の四平市で老作家許行の小小説についてもたれたことを、九二年九月五日付『文藝報』は報じている。許行は長年教育と文芸行政の仕事にたずさわってきた長春在住の老作家で、一九八六年に退職してから百五十篇余りの小小説を発表し、すでに『野玫瑰』『苦渋的黄昏』などの小小説集を出している。「立正」「抻面条」など十数篇の小小説が省内外の各種の文学賞を受賞している。許行小小説検討会は、河南の『百花園』雑誌社、『小小説選刊』編集部、四平市文聯などが共同で開催したものであった。

各地でのこういう動きのなかでもっとも注目されるのは、一九九二年九月の中国微型小説学会の結成である。報道によれば、会長は江曾培、副会長は凌煥新、張志華、王保民、秘書長は郟宗培で、微型小説の評論、研究、専門誌の編集などにたずさわってきた人たちである。会の所在地は上海である。一九八九年に『小説界』『小小説選刊』『微型小説選刊』『北京晩報』『解放日報』『文学報』などの雑誌新聞のよびかけで、中国微型小説学会準備会が発足していたが、二年余りの準備を経て正式に学会が成立したわけである[11]。これを受けて江蘇省の金陵微型小説学会、河南省の鄭州小小説学会、四川省の成都微型小説学会、自貢市微型小説学会など各地に微型小説の学会がつくられている。

また作品を募集するコンクールも引き続き盛んに行われていることが、『文藝報』や『文学報』などで報ぜられている。入賞作品は関係の雑誌等に発表される。五元くらいの参加費をとる場合もあるが、入賞すれば百元から千元くらいの賞金が授与される。主催は雑誌や文芸団体が多いが、地方の一般企業が加わっている場合もある。八九年から九二年までのコンクール名、主催団体、作品についての規定、特徴等を個条書きで示すと以下のようになる。

第一回「寧波杯」全国微型小説大奨賽―主催寧波市作家協会、中国農房公司寧波公司、『文学港』雑誌社。作品は二千字以内。(『文藝報』八九年六月二十四日)

第一回「承恩杯」百字小説大奨賽―主催江蘇省文聯。作品は五百字以内の百字小説。一―三等の入賞の他に、優秀作品賞三百名に賞状と作品賞を贈呈。(『文学報』八九年十二月七日)

第二回「西湖杯」全国微型小説大奨賽―主催杭州市『西湖』編集部。作品は千五百字以下の微型小説一篇。作家協会会員は参加できない。(『文学報』九〇年二月一日)

一九九〇・中国東方微型文学大奨賽―主催東方微型文学学会、共催四川省写作協会、湖南『獅子吼』編集部、瀘州市文学藝術家企業家聯誼会。作品・詩は二十行以下、その他は八百字以内。特等、一―三等の入賞の他に、新人賞百名、佳作一三〇名。海外からの参加も可。(『文学報』九〇年四月十九日)

『百花園』『小小説選刊』全国小小説大奨賽―主催『百花園』『小小説選刊』。作品は二千五百字以内の新作。二年毎に開催。(『文藝報』九〇年十一月二十四日)

「銭江杯」全国小小説大賽―主催杭州食品廠、『西湖』雑誌社。三回の「西湖杯」全国微型小説大奨賽を引き継いだコンクール。(『文学報』九一年四月二十五日)

「一拖杯」全国小小説大奨賽―主催洛陽日報社、中国第一拖拉機製造廠。作品は千五百字以内、長くても二千字をこえないこと。(『文学報』九一年五月二十三日)

秦州市報文学拡大版―「微型小説導報」大奨賽。(『文学報』九二年十月二十二日)

第一回精短情愛作品大奨賽―主催『青年月報』『九頭鳥』。作品・詩は二十行以内、その他は五百字以内、情愛を描いた詩、散文、小小説及び日記、手紙、贈る言葉など二篇まで可。特等、一―三等の入賞の他に、優秀賞一〇〇名には『九頭鳥』九三年一年分を贈呈。海外の愛好者も歓迎。(『文学報』九二年十一月十九日)

全国微篇文学作品大賽―主催河北省保定市長城書社、『詩湖』など五雑誌。作品は百字散文、百字小説、詩は六行以内。字数が少なく、質が高いことを基準に選ぶ。(『文学報』九二年十二月十日)

第一回中国青少年微型文学大奨賽―主催貴州省貞豊文聯大奨賽組委会。作品は小説千五百字、散文千五百字、散文詩五百字、詩三十行。何篇でも可。(『文学報』九二年十二月十七日)

以上の他に『当代作家』『青春』『天津文学』『青年作家』『蜀南文学』『寫作』『農民日報』『文学報』『中国青年報』『解放日報』『工人日報』『北京晩報』『新華日報』などの雑誌新聞がコン

クールを実施している。一九九四年の十二月から翌九五年の末迄の間に『南京日報』の「康吉爾」杯微型小説作品募集、河北省『滄州日報』の「亜龍杯」全国小小説大賽、済南の『当代小説』の小小説作品募集、山東省『文学世界』の「宏祥杯」全国微型小説大奨賽、江蘇省の『新華日報』の「双溝杯」微型小説作品募集、『微型小説選刊』第一回全国微型小説大賽などが行われたことが確認されている。

これまでに行われたコンクールのなかで「規模の大きさ、対象地域の広さ、作品数の多さで、内外の広範な注目を集めた」のは、一九九三年五月から一九九四年四月末まで一年をかけて行われた「春蘭・世界華文微型小説大賽」である。このコンクールは中国微型小説学会の結成大会でその実施が決められた。中国大陸だけでなくシンガポール、タイ、マレーシア、香港など海外の中国語圏、欧米をも対象地域とした大がかりなもので、主催は同学会のほかシンガポール華文作家協会、オランダ・ベルギー・ルクセンブルグ華文作家協会、香港作家聯合会及び春蘭（集団）公司など八団体、一企業、それに『新華日報』『北京晩報』『文学報』『文匯報』『解放日報』『新民晩報』『労働報』『上海僑報』『羊城晩報』『春城晩報』『福州晩報』『南昌晩報』『洛陽日報』『鎮江日報』『宝鋼日報』『海口晩報』『呼和浩特晩報』などの新聞、『小説界』『萌芽』『百花園』『芒種』『野草』『微型小説選刊』『小小説選刊』『小小説月報』『人民警察』など十余の雑誌、海外のものではシンガポールの『聯合早報』『微型小説季刊』、タイの『新中原報』、アメリカの『中外論壇』なども含めて、数十にのぼる新聞雑誌に、上海文藝出版社も加わった。賞金も三千元と、かつてなく高額であった。一年の時間をかけ、シンガポール、マレーシア、タイ、香港、マカオ、台湾、フィリピン、インドネシア、ブルネイ、オランダ、ベルギー、アメリカなど十数の国と地域から数万篇の応募作品が寄せられた。中国の『洛陽日報』だけでも一万二千篇余りの作品を受け取り、その中から優れたものを選んで二百四十篇を逐次掲載した。各地の新聞雑誌に発表された作品は、二千篇余りに達した。第一次の審査員が各国の新聞雑誌から送られてきた三百篇の候補作品の中から四十一篇の優秀作品を選び出し、八人の審査委員に採点、評定がゆだねられた。一等は三点、二等は二点、三等は一点とし、八名の審査委員の採点合計が十八点をこえて、はじめて一等を受賞する資格を得ることができるとなっていた。選考の結果、四十一篇の作品で十八点をこえたものはなかったため、一等賞は空席とし、最終的に二等賞九篇、三等賞十四篇、奨励賞九十四篇が選ばれた。二等賞の受賞者は、ベルギーの章平、シンガポールの連秀、香港の杜毅、中国の凌鼎年、沙葉新、周鋭、修祥明、章海生、張焰鐸であった。

中国大陸での微型小説の盛況をうけて、シンガポール、タイ、マレーシアなどの華語圏でも微型小説への関心が高まってきていたが、このコンクールはそれをさらに高める役割を果たした。こうした状況を背景に第一回世界華文微型小説研討会が一九九四年十二月二七日から二九日までシンガポール国立大学で開催された。華文（中国語）で書かれた微型小説について研究討論する最初の国際的な会合であった。シンガポール華文作家協会、シンガポール国立大学芸術センター、聯合早報（シンガポールの有力紙）の三者の共催によるもので、中国、台湾、香港、マレーシア、タイ、フィリピン、インドネシア、オーストラリア、シンガポール、日本から三十八名の論文発表者を含む多数の小小説作家、評論家、編集者、研究者などが参加した。中国からは中国微型小説学会会長の江曾培氏（上海文藝出版社社長、総編輯）、同学会秘書長で『小説界』副主編の郏宗培氏、同学会理事『微型小説選刊』主編李春林氏、同学会理事で微型小説の理論研究で最も精力的に仕事をしている劉海濤氏（湛江師範学院中文系副教授）、同学会理事で作家の凌鼎年氏、作家で『小小説月報』副主編の張記書氏、作家の沈祖連氏、東南アジアの華文作家の微型小説集『海那辺中国人』の編著者の廖懐明氏（『海口晩報』文芸部副主任）などが参加した。台湾からは国立台湾大学中文系の周昌龍副教授、国立台湾師範大学の陳鵬翔教授らが、マレーシアからは作家で編集者の朶拉女史、作家の陳政欣氏らが、タイからは作家の司馬攻氏など、インドネシアからは作家で詩人の鄭遠安氏、フィリピンからは聯合日報竹苑文芸副刊主編の黄珍玲女史、オーストラリアからは華文作家協会メルボルン支部会長でジャーナリストの張至璋氏などが論文発表者として参加した。香港からは香港大学比較文学系高級講師の黄徳偉氏が参加した。日本からは三重大学の荒井茂夫教授と私が参加し、論文を発表した。中国と台湾はそれぞれ東南アジアのシンガポール、マレーシア、香港などの華人と独自の交流をもってはいるが、直接の交流は必ずしも十分ではなかったようである。中国の新時期の微型小説がもっとも影響を受けたのは何か、という私の質問にたいして、小小説作家凌鼎年氏は、日本の星新一の作品と台湾の陳啓佑の「永遠的蝴蝶」であると答えている。ところが中国の関係者には陳啓佑がどういう経歴の人か全く知られていなかったのである。台湾からの参加者によって陳氏は台湾彰化師範大学の教授で、この作品は氏がたまたま筆をとって書いた一篇であることが明らかにされ、双方が驚く、という一幕があった。この研討会は論文発表、座談会、会議の合間の交流を通じて、今後の論議のための共通の基盤をつくる役目を果たした、といえるだろう。中国語圏の微型小説はこういう国際的な研討会を開くまでになったのである。

第二回の研討会は一九九六年十一月二十三日から二十五日までタイのバンコックで開かれた。この会では華文による微型小説の当面する課題が作品の質の向上にあることが、あらためて確認された[12]。研討会は二年毎に開かれることになっているが、次期開催国マレーシアの経済状況の悪化のため九八年の開催は延期された。

もう一つ注目されるのは、微型小説の理論書、大部のアンソロジー、鑑賞辞典などの刊行である。理論面では湛江師範学院の劉海濤の活躍が目立つ。先に上げた『微型小説的理論與技巧』(中国人民大学出版社、一九九〇年)につづいて『規律與技法―微型小説藝術再論』(新加坡作家協会、一九九三年十月)、『現代人的小説世界―微型小説寫作藝術論』(上海文藝出版社、一九九四年三月)、『主体研究與文体批評』(新疆大學出版社、一九九四年一月)、『叙述策略論』(新加坡作家協会、一九九六年七月)というように、続々と著作を刊行している。『叙述策略論』の一節は要約されて『文学評論』に掲載された。雑誌『小説界』が微型小説という名称を採用して以来、その主編(編集長)として微型小説の発展のために節目ふしめに論陣を張ってきた江曾培の評論をまとめて一書とした『微型小説面面観』(百花洲文藝出版社、一九九四年一月)は、八〇年代以来の微型小説の発展と時々に当面した課題を明らかにしていて、興味深いものがある。他に于尚富、許廷鈞『小小説縦横談』(文化藝術出版社、一九九一年五月)がある。張光勤、王洪主編『中外微型小説鑑賞辞典』社会科学文献出版社、一九九〇年十一月）は、中国、香港、台湾を含む四十六の国の作家二百五十五名の作品三百十八篇を収め、作家の略歴と作品鑑賞の文をつけた九百六十九頁の大部の辞典である。因みに本書には次の国々の作品が収録されているのである：アメリカ、カナダ、スウエーデン、オランダ、ドイツ、オーストリァ、イギリス、フランス、イタリア、ギリシャ、ポルトガル、トルコ、シリア、パレスチナ、エジプト、アルジェリア、モロッコ、カメルーン、南アフリカ、メキシコ、コスタリカ、ドミニカ、コロンビア、エクアドル、ブラジル、チリ、アルゼンチン、ウルグアイ、ロシア、ポーランド、チエコ、ハンガリー、ユーゴスラヴィア、ルーマニア、ブルガリア、オーストラリア、ニュージーランド、日本、タイ、シンガポール、フィリピン、インドネシア、スリランカ。こういう辞典を編むまでに研究が進んでいると考えてよいだろう。八〇年代の始めから外国の微型小説の翻訳は盛んであり、何冊ものアンソロジーが編まれている[13]。それらには上記の国以外の作品も収められている。国名だけ拾うと以下のようになる：フィンランド、スペイン、スイス、ノールウェイ、アイルランド、ヴェネスエラ、インド、イラン。九〇年代に入っていくつか大部のアンソロジーが編まれている。その一つが東野茵陳編選『世界微型小説薈萃三〇〇篇』（百花文藝出版社、一九九二年三月）である。本書には五十九の国及び地域の二百二十五人の作家の作品三〇〇篇が収められている。これまでの選集に作品が収録されていない国、地域のビルマ、アフガニスタン、パキスタン、デンマーク、スーダン、ヨルダン、コートジボワール、ギニア、ギルバート諸島、クック諸島、フィジー、トンガ、ペルーなどの作品も収録されている。世界のあらゆる国、地域の微型小説が中国の小小説界の関係者の視野に入っていると考えてよいのではないか。中国語圏の作品のアンソロジーとしては、江曾培主編『世界華文微型小説大成』(上海文藝出版社、一九九二年五月)がある。本書には中国の文革後の作品一五〇篇、一九五〇年代末のもの二篇、現代(一九一九年から一九四九年まで)の作品十九篇、古典六篇、台湾の作品二十八篇、香港のもの九篇、マカオのもの一篇、シンガポール八篇、マレーシア四篇、フィリピン三篇、アメリカ一篇、計二百三十一人の作者の二百三十一篇の作品が収録されている。他に微型小説を論じた評論(台湾、シンガポールのものも含む)四〇篇も収められている。書名の示す通りこれまでの微型小説の創作と理論の集大成を目指したものである。その後さらに主要な作家の作品を一人につき何篇かずつ集めた二種のアンソロジーが刊行された。一つは『世界華文微型小説名家名作叢編』中国巻、シンガポール・マレーシア・タイ巻、台湾・香港・マカオ巻、欧米巻の全四巻(上海文藝出版社、一九九六年十月)であり、もう一つは楊暁敏他主編『中国当代小小説精品庫』春、夏、秋、冬の巻の全四巻(新華出版社、一九九六年十一月)である。前者は中国巻には二十名の作家の七十四篇の作品、シンガポール・マレーシア・タイ巻には二十名の作家の八十六篇の作品、台湾・香港・マカオ巻には二十名の作家の七十八篇の作品、欧米巻には二十名の作家の六十六篇の作品が収められている。各巻に載せる作家を二十名に限定するという一つの基準を設けた結果、例えば中国の巻で選ばれた著名作家は王蒙、馮驥才、畢淑敏、何立偉、汪曾祺、林斤瀾、蔣子龍の七名だけであり、最も多く微型小説を書いている劉心武は入っていない。残る十三名の所謂「小小説専業戸」はいずれも有力な書き手だが[14]、名作を書いた曹乃謙、邵宝健、呉金良その他多くの作者がもれている。それに対して後者は中国の当代の作家作品に四巻を当てたことによって、百二十名の作者の四百八十篇余りを収録し、ほとんどの著名作家の作品を網羅し、小小説専業戸にも遺漏を感じさせない編集となっている。この四巻に収められた作品は、『小小説選刊』が八〇年代の半ば以来十数年にわたって選んで載せた四千篇余りの小小説から精選されたものである。同書には三十数篇の創作談も収録されていて、作者の小小説観を知ることができる。

九〇年代に入ってからも新しい小小説作家は、先に述べたコンクール等を通じて次々に登場してきている。現在、小小説作家の中で一定の実績と知名度をもっている人に、許行、白小易、凌鼎年、劉国芳、生暁清、張記書、孫方友、王奎山、刑可、呉金良、沙黽農、沈祖連、司玉笙、謝志強、曹徳権、滕剛、邵宝健、文牧、修祥明、袁炳発等がいる。この中で長春の許行はかつて吉林省作家協会の副主席をつとめ、詩集二冊、短篇小説集二冊を出版したことのある老作家で、停年退職後小小説に関心をもち、その作品「立正」「抻面条」は好評を博し、賞を受けている。すでに『野玫瑰』『苦渋的黄昏』『情書曲』『許行小小説選評』『許行小小説』『生死恋』などの微型小説集を出している。瀋陽の白小易は小小説で最も早く名をあげた作家で、その代表作「客廳裏的爆炸」は英語に訳されてSudden Fiction International, W.W.Norton And Company New York に収録されている。『温情脈脈』『白小易微型小説一〇〇篇』などの小小説集を出している。江蘇省太倉の凌鼎年は小小説の創作にとりくみ始めたのは、一九八八年頃で比較的遅かったが、創作意欲旺盛で国内のコンクールで数十回賞を受けているだけでなく、シンガポール、マレーシア、タイ、フィリピン、インドネシア、アメリカ、オーストラリア、香港、台湾、日本などの刊行物に次々に作品を発表している。すでに『再年軽一次』『秘密』『水渺渺』『凌鼎年小小説』などの微型小説集を刊行している。江西省憮州の劉国芳は多作の小小説作家で、その作品が五百篇をこえたと報ぜられて、すでに久しい。『誘惑』『黒蝴蝶』『劉国芳小小説』などの微型小説集を出版している。江蘇省泰州の生暁清は比較的早く名をあげた小小説の作家の一人で『生暁清精短小説集』『今夜零点地震』『幽黙小説集』『生暁清小小説』『微型小説佳篇賞析』などを出している。理論面でも見識のある小小説作家である。河北省邯鄲市の張記書は小小説集『無法講述的故事』『怪夢』『酔夢』を出し、『真夢』を編集、出版した後、『小小説月報』を創刊、その編集責任者として、すぐれた小小説を発掘し、新人作家を送り出した。河南省の孫方友は「陳州シリーズ」と呼ばれる伝奇的作品で人気のある小小説の作家で、多くの賞を受賞している。『女匪』『孫方友小小説』などの微型小説集を出している。北京の呉金良は小小説の作者として最も早く賞をうけ名をあげた一人で、小小説集『酔人的春夜』『呉金良小小説』などを出している。広西の欽州の沈祖連は「三岔口シリーズ」とよばれる地方色豊かな一連の作品で知られる小小説作家で、すでに『蜜月第三天』『粉紅色的信箋』『邀舞者』『沈祖連微型小説一〇八篇』などの小説集を刊行している。南京の沙黽農は独特のユーモアで知られる小小説作家で、小小説集『江南回回』を出している。浙江省余姚の謝志強は書きはじめたのは早くはなかったが、すぐれた作品を次々に書いて注目されている。小小説集『其実我也這麽想』『謝志強小小説』などを出版している。四川省自貢の曹徳権は続けて三度『小小説選刊』の賞を受賞した実力のある作家である。河南の王奎山は生活の原生状態を描くのを得意とし、作風は堅実で奥行きがある。『加爾各達草帽』『王奎山小小説』などの微型小説集がある。江蘇省江都の滕剛は荒唐、怪異な内容、ブラック・ユーモア、魔術的手法などの特異な作風で知られる作家である。女性の小小説作家で知名度のある人は、郭昕、徐平、王麗萍、龐穎潔、張子影、何蔚萍、馬月霞などである。近年新人として頭角をあらわした作家に汝栄興、鄭洪傑、李江、徐習軍、陳武、劉平、戴濤、展静、喊雷、馬宝山、裴立新などがある。

九〇年代に入って以後の微型小説専門誌『小小説選刊』と『微型小説選刊』の動向も注目される。前者は一九九五年に、後者は九六年にそれぞれ月刊から半月刊（月二回発行）になっている。以後も順調に発行部数を伸ばし、ひと月の発行部数が五十数万部という大きなものとなっている。純文学の雑誌では図抜けて多い部数である。安定した読者層をもっていると見てよい。『小説月報』は九十五年に発行元が邯鄲市文聯から河北省文聯に移ったが、発行部数を伸ばし十四万部を超えたと報ぜられている。一九九七年七月には内蒙古作家協会発行の新しい専門誌『小小説作家』（月刊）が創刊されている。

以上作品検討会の開催、学会の成立、コンクール、国際的な研討会の開催、理論書、鑑賞辞典、アンソロジー等の刊行、小小説の専門作家、所謂「小小説専業戸」、専門誌の発行状況などについて見てきたが、これらは現在の中国（及び中国語圏）における微型小説の「方興未艾」（発展のさなかにある）状況を示すものと考えてよいだろう。

注

1) 上海文藝出版社刊行の微型小説集には、鄧開善『太陽鳥』（一九八八年三月）、『中外名家微型小説大展』（一九八九年二月）、『世界華文微型小説大成』（一九九二年五月）、『世界華文微型小説名家名作叢編』中国巻等全四巻（一九九六年一〇月）などがある。

2) 微型小説を論じた王蒙の評論には、「我看微型小説」（『中国微型小説選刊』一九八五年第一期）、「再談微型小説」（王蒙『創作是一種燃焼』一九八五年十一月、人民文学出版社、所収）、「微型小説是一種」（『文学的誘惑』湖南文芸出版社一九八七年十二月所収）などがある。

3) 劉心武「一篇小序的由来」（『斜坡文談』上海文藝出版社、一九八七年四月、所収）、蔣子龍「関于〝微型〟的沈思」（『世界華文微型小説大成』上海文藝出版社、一九九二年五月、所収）、林斤瀾「短中之短」「話説小小説」（『独輪車輪』中央編訳出版社、一九九七年一月、所收）、汪曾祺「関于小小説」「小小説是甚麼」（『世界華文微型小説大成』前出所収）

4) 江曾培「山不再高、有仙則名」（『一個「助産士」的手記』上海文藝出版社、一九九一年五月、一四七頁—一四八頁）

5) 『文藝報』一九九三年四月十七日

6) 劉海濤『微型小説的理論與技巧』人民大学出版社、一九九〇年、三頁。

7) 微型小説関係評論数

一九七九年	八〇年	八一年	八二年	八三年	八四年	八五年
二篇	二篇	五篇	十二篇	十八篇	四十六篇	四十四篇
八六年	八七年	八八年	八九年	九〇年		
三十八篇	五十一篇	二十二篇	十四篇	二十七篇		

8) 各種微型小説選集発行数（　）内は筆者所蔵の点数

一九八一年	八二年	八三年	八四年	八五年	八六年	
一点（0）	二点（一）	二点（二）	四点（三）	二点（三）	十一点（十）	
八七年	八八年	八九年	九〇年	九一年	九二年	
六点（三）	八点（八）	八点（八）	三点（七）	十四点（十五）	0（三）	

9) 楊暁敏「与小小説結縁」（『文藝報』一九九三年十二月二十五日）

10) ほかに、許世傑選編『微型小説藝術初探』河南人民出版社、一九八七年、呂奎文、鄭賎徳『微型小説創作技巧』広西教育出版社、一九八八年、梁多亮『微型小説寫作』四川文藝出版社、一九八九年、李麗芳、趙徳利『微型小説創作論』一九九〇年、陳順宣、王嘉良編著『微型小説創作技巧』広西人民出版社、一九九〇年などがある。

11) 『文藝報』一九九二年十月十日。

12) 張記書「微型小説期待着驚世之作」、沙黽農「微型小説的藝術境界」、凌鼎年「微型小説従素材到作品」、廖懐明「論微型小説的陌生化」などは、質の向上を問題にした発表であった。

13) 外国の作品を収めたものには、応天士主編『外国微型小説選』中国文聯出版公司、一九八四年一月、王臻中等編『微型小説選』（4）—外国微型小説専輯、江蘇人民出版社、一九八四年八月、同前『微型小説選』（7）—外国微型小説専輯、江蘇文藝出版社、一九八六年六月、などがある。

14) 王奎山、鄧開善、白小易、生曉清、刑可、許行、孫方友、劉国芳、沙黽農、沈祖連、凌鼎年、謝志強、滕剛の十七名である。

第二章　日中の最初の接触

―菊池寛「短篇の極北」と郭沫若「他」―

菊地寛の「短篇の極北」という短い評論は、短篇あるいは掌篇という形式が話題にのぼる時、よく引き合いに出される。たとえば阿部昭は『短編小説礼讃』の中で、フランスの作家ルナールが死んだ明治四十三年（一九一〇年）、志賀直哉が「網走まで」「剃刀」などを発表した年から大正をはさんで昭和の初めまでを、わが国の短編小説が最も隆盛をきわめ、技術的にも一段と飛躍した時代であると言われる、と述べたあと、森鴎外「阿部一族」から嘉村礒多「崖の下」までの作品を年表から拾い、「いかに多くのすぐれた短編が書かれたか、また書かれようとしていたか見当がつく。事実、菊池寛は大正九年に『短篇の極北』という文章でこう言っている。」として次の一節を引用している。[1]

人間の世界が繁忙になり、籐椅子によりて小説を耽読し得るような余裕のある人がだんだん少なくなった結果は、五日も一週間も読み続けなければならぬような長編はようやく廃れて、なるべく少時間のあいだに纏まった感銘の得られる短編小説が、隆盛の運に向かうのも、必然な勢いであるのかもしれない。

とにかく、退屈な二百枚も三百枚もの長編によって、読者の忍耐を不当に要求するよりも、短編小説のほうが、たとえ愚作であっても、読者にそうした被害を及ぼさないだけでも勝っていると思う。

また大西巨人は『日本掌編小説秀作選』を編んだ際に「短編小説の復権」という一文を書いているが、それは菊地寛のこの評論の紹介、引用、その主要な論点に対する賛意の表明からなるものである。大西も阿部と全く同じ箇所を引用している。[2)]

人間の生活が繁忙になり、籐椅子に倚りて小説を耽読し得るやうな余裕のある人が、段段少なくなった結果は、五日も一週間も読み続けなければならぬやうな長篇は、漸く廃れて、なるべく少時間の間に纏った感銘の得られる短篇小説が、隆盛の運に向ふのも、必然の勢であるかもしれない。

兎に角、退屈な二百枚も三百枚もの長篇によって、読者の忍耐を不当に要求するよりも、短篇小説の方が、縦令愚作であっても、読者にさうした被害を及ぼさないだけでも勝って居ると思ふ。

わざわざ同じ箇所を二度も引用したのは、どうしたわけか両者の引用がともに菊池寛全集のテキストと若干字句に違いがあるからである。それはともかく、忙しい時代には短い形式が好まれる、という趣旨のこの菊池の指摘はいわば掌篇という形式の存在意義を明らかにしたもので、これ以後短い形式が提唱されるときに同じ内容の言葉が繰返し用いられている。[3]菊池寛はその意義を明らかにした最初の人として記憶される名誉を担っている。阿部昭と大西巨人の引用はそれを示すものである。

菊池寛全集に収められている「短篇の極北」の本文は、初出のものとは異なる。全集に収めるにあたってかなり手が入っている。初出は一九一九年（大正九年）一月一日の『東京日日新聞』に載った「短篇の極北」である。因みに同じ内容のものが題だけ「世界一の短い小説」となって『大阪毎日新聞』にも掲載されている。

この評論は数年後のコントの流行と掌篇という形式の成立に際して再び言及する人が出てくるが、[4]この時点では短篇、その中でも最も短いものを推奨するという内容で、短篇とは別種のジャンルを新しく提唱したものではなかった。

この評論はそういう位置付けをもつと同時に、実は日中の文学の交流において一つの役割を果たしたと考えられるのである。

一九二〇年一月六日当時九州帝国大学医学部で学んでいた郭沫若は、「他」（「彼」）という短い小説を書いて、同年一月二十四日付けの上海『時事新報』の副刊『学燈』に発表した。「他」は中国現代文学の最も早い時期の微型小説の一つであり、新時期の微型小説の代表的な選集のいくつかに収録され、評論でも言及される作品である。五四時期の微型小説の代表作として魯迅の「一件小事」とともによく挙げられる。[5] 因みに、「一件小事」は一九一九年十二月に発表されており、「他」よりほんのちょっとだけ早い。

超短編というジャンルに関わる資料、作品を読む過程で私は偶然菊池寛の「短篇の極北」と郭沫若の「他」に出会ったのであるが、ある時ふと後者は前者にヒントを得て書かれたのではないか、と考えた。そう考えた根拠の一つは両者には無視できない類似点のあること、もう一つは書かれた時点が近接していること、当時日本に留学中であった郭沫若は菊池寛の評論を読み得る条件をもっていたと思われることであった。ただ、私が参照した二種類の菊池寛全集と諸種の年譜[6]には、「短篇の極北」の初出誌が記載されていないため、一九一九年十二月に書かれたことはわかっても、郭沫若が「他」を書いた一九二〇年一月六日以前に、これを参照する時間的な余裕が果してあったのかどうかを確かめることができないでいた。

その後調べて、初出は大正九年（一九二〇年）一月一日の『東京日日新聞』であることがわかり、『大阪毎日新聞』にも一月四日付けで「世界一の短い小説」という題で掲載されていることもわかった。福岡にいた郭沫若が見たのは、『大阪毎日新聞』に掲載されたものと考えられる。当時『大阪毎日新聞』は大阪で印刷し、福岡にも運んでいたとのことなので、福岡で読むことは可能であった。先に見たように「他」の執筆は、一月六日であるから、二日前の新聞に掲載された「世界一の短い小説」は、少なくとも時間の上では、十分の余裕をもって参照できた筈である。

両者の類似点を見ることにしよう。私が類似性を感じたのは、全集所載の「短篇の極北」と「他」との対比によってであったから、まずそのテキストで比べてみることにする。それほど長いものではないので、全文を見ることにする。

文藝の形式としての短篇小説の發達は、歐州の文藝界にあっては、十九世紀の中葉以来のことであるが、近年に至っての發達は實に目ざましいと云ってもよい。

メリメ、モウパサン、ポオなど天才的短篇小説家の輩出は、短篇小説に對して、押しも押されもせぬ文藝上の位置を與へてしまった。近代文藝の寵児は戯曲であった。が、今や戯曲に代って、寵児たらんとするものは短篇小説である。

日本文壇に於ける短篇小説の隆盛も、又頗る目ざましいと云ってもいゝ。小説と云えば、短くとも三十枚以上を要求した時代は過ぎて、今は二十枚でも立派な小説として通用する。十枚、十五枚、中には五六枚の短篇を發表するものさへある。

志賀直哉、芥川龍之介、廣津和郎、里見弴氏など皆短篇小説家として秀れて居る。

人間の生活が繁忙になり、籐椅子に倚りて小説を耽読し得るやうな餘裕のある人が、段々少くなった結果は、五日も一週間も讀み續けなければならぬやうな長篇は、漸く廢れて、なるべく少時間の間に纏った感銘の得られる短篇小説が、隆盛の運に向ふのも、必然な勢であるのかも知れない。

兎に角、退屈な二百枚も三百枚もの長篇に依って、讀者の忍耐を不當に要求するよりも、

寸及びも付かないだらう。蓋し短篇小説の極北であるかも知れない。
るると思ふ。が、日本の小説も段々短くなって來たとは云へ、左に譯出する短篇小説には、一
短篇小説の方が、縦令愚作であっても、讀者にさうした被害を及ぼさないだけでも勝って居

獨軍《ヴァンダルス》の残したもの

ハアバアト・ライリイ・ホウ

大戦は終わった。彼は獨軍の手から取り返した故郷の町へ歸って來た。彼は街燈のほのぐらい街筋を急ぎ足に通って居た。一人の女が彼の腕に縋って、しわがれた聲で話しかけた。

「何處へ行くのさ、旦那！私と一緒に行かない？」

彼は笑った。

「お生憎様だよ、姐さん！情婦の家を探しに行くところだもの」

そう云って、彼は女の顔を見た。彼らは街燈の傍にさしかゝって居た。女が「あっ！」と叫んだ。彼は女の肩の所を捕へた。そして街燈の所へ引きずって行った。彼の指は女の肉に喰い込み、眼は燃えた。

「ジョアンぢゃないか」と、彼はうめいた。

題材は、大したものでないが、描寫の適確にして、事件の短きながらに、戯曲的に掴みたる、好箇の短篇たるを失はない。（大正八年十二月）[71]

郭沫若の「他」(「彼」)の全文を翻訳で示そう。書き出しの部分はちょっと変わっていて、前書きのようなものがついている。

近頃西欧の文芸界では、短篇小説が大流行である。短いのは十二、三行のものがある。私のこの一篇にも小説の価値はあるのだろうか？

時間はもう遅かったが、彼は町へ薪を買いに行った。帰ってくる時、彼は大通りであの十六になる月の精を見かけた。絹の無地の着物を着ている。湯上がりらしかった。笑って彼を見ている。月の精のそばには、ほかに何人も美人がいて、やはり彼に向かって会釈した。彼は黙って彼女たちの方を見、賛嘆した。あゝ、光よ!愛よ!私はどうしたら徳を積んで善果を得ることが出来るだろうか?善果を得ることの出来る人は、何と幸福なのだろう!……

—やあ、K君!君どこへ行ってきたの？

彼に声をかけた人は、学生仲間のN君だった。彼はマントの下から薪を出してNに見せて、言った。君は僕が薪を買って来たところにまた出会ったね!Nは笑った。彼も笑った。彼はNにたずねた。君はどこへ行くところだい？

—Y君のところへ遊びに行くんだ。一緒に行かないか？

―駄目だよ、薪をかかえて人を訪ねるなんて！
―君は彼のところへ遊びに行かないのかい？
―うん、僕は帰るよ。
二人はH神社のところで別れた。彼は自作の詩をまた心の中で吟じはじめた。

一九二〇年一月六日[8)]

両者の共通点の一つは、西欧の短篇小説の現状に触れていることである。
（一）「文藝の形式としての短篇小説の發達は、歐州の文藝界にあっては、十九世紀の中葉以來のことであるが、近年に至っての発達は実に目ざましいと云ってもよい。」（「短篇の極北」）
（二）「近頃西欧の文芸界では、短篇小説が大流行である。」（「他」）
（一）と（二）は基本的に同じ情報を伝えていると見てよいだろう。（二）は（一）の要約と見ることもできよう。
もう一つの共通点は、短篇小説の中にはたいへん短い作品があると指摘していることである。
（三）「小説と云へば、短くとも三十枚以上を要求した時代は過ぎて、今は二十枚でも立派な小説として通用する。十枚十五枚、中には、五六枚の短篇を発表するものさへある。……日本の小説も段々短くなって來たとは云へ、左に譯出する短篇には、一寸及びも付かないだろう。」（「短篇の極北」）
（四）「短いのは、十二、三行のものがある。」（「他」）

「短篇の極北」と「他」の前書きの部分がよく似た情報を伝えていることは以上の通りであるが、「獨軍の残したもの」という小説と「他」の本文にも、なにがしかの共通性を感じさせるものがある。二つの小説の題材は異なり、また「獨軍の残したもの」の結末はきわめて印象的な所謂サプライズド・エンディングであるのに対して、「他」はとくに山場もなく淡々と終わっているという違いもあるが、二作品とも主人公が「彼」となっていること、プロットが路上での出会いであること、の二点は共通している。

以上に述べた点から「他」は「短篇の極北」にヒントを得て書かれたのではないか、という推定が生まれたのであるが、郭沫若が「他」を書いた前後の状況もこの推定を補強するいくつかの根拠を与えてくれるように思われる。

それは次の四点である。

（一）自伝や年譜で見るかぎり、当時の郭沫若の主たる関心は詩に向けられていて、小説には向けられていなかった。自伝にはこう書かれている。

私はそこで一九一八年に岡山にいたころ作った詩、『死の誘惑』『新月と白雲』『離別』に、新しく作った詩をいくつか足して、投稿した。こんどの賭はまず成功し、送ってまもなく、『学燈』に掲載された。自分の作品がはじめて活字になったのを見ることには、まさにえも言えぬ陶酔があった。このことが私に大きな刺激を与えた。一九一九年の下半期と一九二〇年の上半期には、詩作の爆発期を迎えた。[9]

このように詩に関心をもち、その制作と発表に熱中していたことは述べられているが、自伝には、欧米の小説、とりわけその短い短篇の現状について、文献を読んだり、研究したりした、というような記述は見られない。ということは「近頃西欧の文芸界では、短篇小説が大流行である。短いのは十二、三行のものがある。」と書くための根拠となる資料にどこでふれることができたのか、という疑問にぶつかる。

（二）「他」を書くまでに、こと小説に関しては、かなり長い空白の期間があったことを、自伝は伝えている。もちろんそれまでに小説に対する関心がなかったわけではなく、「他」以前に習作を二篇書いた経験をもっていた。一九一八年に書いた小説の第一作「髑髏」は、雑誌に発表しょうとしたが、没になり、後に自ら焼き捨てている。一九一九年二月から三月にかけて書かれた「牧羊哀話」は、自信がもてず、長兄に見せたが、発表することなく終っている。このあとゲーテの「ファウスト」やシュトルムの「イムメンゼー」の翻訳にとりくんだりした記述はあるが、二つの習作を書いたあと、小説を書く意欲が持続していたことを示すような記述は、自伝には見られない。つまり「他」という作品は、自伝を見るかぎりでは、何の前ぶれもなく、突如書かれた小説ということになる。その創作動機を示す資料は、「他」の前書き以外にはないのである。

（三）「他」という作品について自伝には、何も記されていない。しかし、「他」の四日後の一月十日に書かれた「鼠災」（「鼠の害」）という小説については、次のように書かれているが、それは何を意味するのであろうか。

『学燈』に詩の原稿を送っていたころ、小説も二、三篇送ったことがある。一篇は「鼠災」という題で、私の唯一のサージの学生服を角の破れた柳行李の中に入れておいて鼠に食われ、私とアンナが言い争いをした一幕を書いたものだった。全篇すべて心理描写を用い、暗い調子で描いたもので、例の『牧羊哀話』や火葬にした『髑髏』にくらべると、ともかくやや進歩した創作と言えるだろう。残念なことに私自身原稿をとっておかなかったし、他の人も保存してくれてはいない[10]。

「他」は「二、三篇送った」小説のうちの一つであったが、なぜ郭沫若はこれについて何も述べていないのであろうか。「他」は、彼の小説の中で、はじめて活字になったものである。自分の詩が「活字になったのを見ることには、まさにえも言えぬ陶酔があった」という郭沫若が、である。

「他」はあまりにも短い作品で、内容もスケッチ風のごくあっさりしたものであるため、作者の記憶に残らなかったのであろうか。それに比べて、「鼠災」の方は、同じように身辺に題材をとってはいても、内容に生活上の葛藤がもりこまれ、技法の上でも全篇心理描写で通すような工夫もした作品ということで、より深く作者の記憶に刻みこまれていた、とも考えられる。だが、こう考えることもできるだろう。「他」は作者の内発的な動機からというよりは、外からの触発によって書かれたために、記憶に残らなかったのではないだろうか。必ずしも強い創作動機をもって書かれた作品ではなかった、ということである。久しく小説を書くことから遠ざかっていた郭沫若が、突如「他」を書いたのは、菊池寛の「世界一の短い小説」をたまたま新聞で読み、そこに紹介されている「獨軍の残したもの」を見て、これくらいのものなら自分にも書ける、という触発を受けたからではなかったか。

このように外からの触発を受けてということは、郭沫若は詩でも経験しているのである。こう書いている。

> 最初に送られてきた新聞の上で、私ははじめて中国の口語詩を目にした。誰とかがヨーロッパに行くのを送る康白清の詩だった。詩の中に『われわれは叫ぶことができるいじょう、われわれはすることができる』というのがあった（大意はこうだったが、言葉は多少ちがっていただろう）。私はこれを見て思わず心ひそかに驚いた。『これが中国の新詩だろうか？これなら私が以前作った詩も発表できないこともなさそうじゃないか』私はそこで一九一八年に岡山にいたころ作った詩『死の誘惑』『新月と白雲』『離別』に、新しく作った詩をいくつか足して、投稿した[11]。

ここにある通り、他の人の作った詩を見て、これなら自分にも出来ると考えたのである。一般にあり得ることだし、郭沫若はそういう触発を受ける人であった、と言うこともできるだろう。

（四）当時の郭沫若は日本人の書いたものを通じて欧米の文学への関心を拡げていた。彼がホイットマンに関心をもつようになったのは、有島武郎の著作を読んだのがきっかけであった、と自伝には書かれている。

大学二年、私がちょうど『学燈』に投稿しはじめたころ、私は何ということなしに有島武郎の『反逆者』を買った。紹介してあった三人の芸術家は、フランスの彫刻家ロダン（Rodin）、画家ミレー（Millet）、米国の詩人ホイットマン（Whitman）だった。このため私は今度は『草の葉』に接近した。彼のその豪放な自由詩によって私のせきを切った詩作欲にあらしのような煽動をうけた。私の『鳳凰涅槃』『おはよう』（原題『晨安』）『地球、わが母』『匪徒頌』等は、彼の影響のもとに作られたものである[12]。

有島の紹介を通じてホイットマンを知り、詩作の刺激を受けたということは、菊池の評論に触発されて小説の創作にとりくむ可能性もあったということである。

以上四点にわたって述べたことをまとめると、こうなる。

「他」を書いた前後、郭沫若の関心は詩に向けられていた。小説習作の経験はあったが、小説に自信がもてず、一年近くの間小説の筆をとっていなかったし、関心を特にもっていたとは思われない。その彼が突如西欧の短篇についての情報を含む前書きのついた「他」を書いた。

これは何を意味するか。その創作動機は何だったのだろうか。「他」のすぐあとに書かれた「鼠災」については、その内容、技法、評価まで述べているのに、「他」に一言もふれていないのは、なぜだろうか。それは、「他」が、外からの触発（「短篇の極北」）よって書かれたためと思われる。創作動機が「鼠災」に比べて十分に内発的でなかったため、作者の記憶に残らなかったのである。当時の郭沫若は、最も熱中していた詩作でも、他の人の作品に触発されて書くという経験をしていたし、日本の作家の書いたものから、欧米の文学に眼を開かれたという経験もしている。「他」の直接の創作動機となったのは、「短篇の極北」である。

次に「短篇の極北」の初出のテキストを見てみることにしよう。全集所収のテキストは論旨はもちろん初出のテキストと同じであるが、「獨軍の残したもの」という小説も含め、語句にはかなり手が入っている。そして初出の方が、「他」の前書きの字句にいっそう近い字句が含まれていて、前記の推定をさらに補強してくれると思われるからである。

誰もが知る通り、西洋に於いては短篇小説は、十九世紀の中葉から、初めて盛んになった文藝の新しき形式である。最初短篇小説は文藝の他の形式に比して一段劣ったものとして輕んぜらる丶傾きさへあった。が、短篇の天才たるモウパッサンや、プロスパー・メリメや、エドガー・アラン・ポーなどが短篇小説に不朽の位置を與へてからは短篇小説は一躍して、文藝界の寵兒になってしまった、その上、社会生活が繁忙になった結果讀者は五日も一週間も讀み續けなければならぬ長篇小説などを捨て、十分廿分長くとも卅分位で、纏った感銘を受ける事の出来る短篇小説を選ぶに至った。さうした意味で短篇小説は、日本の文壇に隆盛を極めて居るが如く、外国の文壇に於いても、短篇大流行のやうである。

日本の文壇に於いても、短篇全盛の結果は、十五枚廿枚の作品になると、もう一角の立派な小説で通るばかりでなく、五枚六枚の兎の糞の如き小品さへ優に許容される。が、然し作品の短さが、作家の創作能力の貧弱から來る不具的な短さでなく、その作品の本質から來る當然の短さである場合は、一枚二枚であっても少しも差支えのない筈である。又縦令下らないものであったにしろ、二百枚三百枚の無内容の長篇に依って、不當に讀者の時間潰しをする物より、優ること萬々である。が、日本の小説も段々短くなって行くが、自分が、次に譯出して置く短篇の短さには及ばざること遠しである。

獨軍の残したもの

ハアバアト・ホウ

大戦は終わった。彼は獨軍の手中から、奪回された故郷の町へ歸って來た。彼は急ぎ足で燈影の稀な街角を通って居た。

一人の女が彼の袖を捕へた。そして酔っぱらった口調で云った。

「もし旦那! 何處へ行くの? 私と一緒に行かない」

彼は笑った。

「お生憎様。今俺の情人を探して居るところなんだ」

彼はふとその女を見た。彼等は丁度街燈の近くを通って居た。女は鋭い叫び聲を揚げた。

彼は女の兩肩を掴み火の傍へ引きずって行った。彼の指は女の肉に喰い込み、眼は火の如く燃えた。

「ジオアンか！」彼は喘ぎながら叫んだ。（完）

あまり大したものでもないが、恐らく短篇小説の極北だろう。[13]

まず、傍点を付した「外国の文壇に於いても短篇大流行のようである。」という部分に注目してほしい。「他」の前書きにある「近頃西欧の文芸界では、短篇小説が大流行である。」（「他」の中国語の原文は、「短篇小説很流行」）と、ぴたりと重なるではないか。

また、「作品の短さが、作家の創作能力の貧弱から來る不具的な短さでなく、その作の本質から來る當然の短さである場合は、一枚二枚であっても少しも差支えのない譯である。」という一節にも注目したい。一枚二枚でも構わない、という菊池寛の断定は、自分が訳した「獨軍の残したもの」の短さとその作品としてのまとまりの良さを指してのものであろう。この短さと完成度の強調は、当時はまだ小説に自信をもっていなかった郭沫若の「短いのは十二、三行のものがある。私のこの一篇にも小説の価値はあるのだろうか。」という、やや自信なげな問いかけに反映している、と考える。

この二つの箇所は全集所載のテキストにはない部分である。そして郭沫若が見たのは、『大阪毎日新聞』に載ったこの「世界一の短い小説」だったのである。

以上の推定が当たっているとするならば、菊池寛の「短篇の極北」は日本に於ける最初の超短編小説論であるだけでなく、この形式の日中の最初の交流に一つの役割を果たした作品といえるだろう。

現在、「獨軍の残したもの」という掌篇は、日本では菊池寛の「短篇の極北」で読む以外ないようであるが、中国では「徳軍剰下來的東西」(〔法〕哈巴特・霍利、易名訳)という題で翻訳され、微型小説のアンソロジーの何冊かに収録されている。[14] 日本よりは読者の目に触れやすい作品である。

注

1) 阿部昭『短篇小説礼讃』岩波新書、一九八六年八月、九一頁—九二頁。

2) 「短編小説の復権」(大西巨人編『日本掌編小説秀作選』I、光文社、昭和五十六年四月、所収。)

3) 時代の忙しさが短時間に読める短い形式を求める、という趣旨の指摘は、次のような例に見られる。
「…ショート・ショートが、最近、トミに流行するのは何故か?まず読者の側から申し上げると、それは、ごく短い時間に読むことができるからだ。地下鉄二駅ぐらいの間にチョコチョコと読め、…一寸した快感すらおぼえられる。」(一九六一年、中原弓彦「ショート・ショート作法」)

「読者の側から言うと、みな仕事が忙しいため、長篇の大作を読みたいと思っても、残念ながら時間がない。ところが小小説はふつう一、二千字にすぎないから、数分で読み終われる。これは当然読者の歓迎するところとなる。」（一九五八年、人韋「談小小説」『長春』一九五八年十二月号）

「（微型小説は、）…時間に追われ、仕事で忙しい読者が読むのに適している。」（一九八一年、江曾培「微型小説初論」『微型小説選』上海文藝出版社、一九八二年十二月、二二九頁）

「四つの近代化（推進）のテンポは速まり、現代の生活のリズムも速まった。このため多数の読者の小説に対する切実な要求は、〝短くあれ〟ということだ。」（一九八三年、凌煥新「微型小説探勝」『微型小説選』2、江蘇人民出版社、一九八三年九月、三三二頁。）

4) 中河與一「短編小説論」（『文藝春秋』大正十三年二月號）、小林多喜二「赤い部屋」（『クラルテ』一九二四年七月）

5) 「他」に言及しているのは、江曾培「微型小説初論」『微型小説面面観』百花洲文藝出版社、一九九四年一月、七四頁。于尚富、許廷鈞『小小説縦横談』文化藝術出版社、一九九一年五月、一〇三頁、など。「他」を収録しているアンソロジーは、孟偉哉等編『微型小説一百篇』貴州人民出版社、一九八七年八月、周安平等編『現代微型小説精選』広西人民出版社、一九八七年十月、葛巧福選編『中国微型小説選』学林出版社、一九八九年四月、『小説界』編輯部選編『中外名家微型小説大展』上海文藝出版社、一九八九年二月、江曾培主編『世界華文微型小説大成』上海文藝出版社、一九九二年五月などがある。

6) 『菊池寛全集』は中央公論社版と文藝春秋社版がある。菊池寛の年譜は、菊池寛『話の屑籠と半自叙伝』の尾崎秀樹の年譜、鈴木氏亨『菊池寛伝』付録の年譜、稲垣達郎編の年譜がある。

7) 中央公論社版『菊池寛全集』第十四巻、昭和十三年六月。
8) 拙訳による。
9) 小野忍、丸山昇訳『創造十年』平凡社東洋文庫一二六、一九八七年一月、一四七頁。
10) 同前、一五二頁―一五三頁。
11) 同前、一四七頁。
12) 同前、一四九頁。
13) 『大阪毎日新聞』大正九年（一九二〇年）一月四日。
14) 「徳軍剰下來的東西」は、應天士主編『外国微型小説選』中国文聯出版公司、一九八四年七月、王臻中他編『微型小説選』（7）―外国微型小説専輯、江蘇文藝出版社、一九八六年六月、『全国微型小説精選評講集續集』学林出版社、一九八六年六月、主編張光勤、王洪『中外微型小説鑑賞辞典』社会科学文献出版社、一九九〇年十一月、東野茵陳編選『世界微型小説薈萃』百花文藝出版社、一九九二年三月等に収められている。訳者はいずれも易名である。

第三章　大正末年のコント、掌篇小説の流行

第一節　コントの流行から掌篇小説へ

日本で掌篇というジャンルが成立するのは、一九二四年（大正十三年）から二六年（同十五年）にかけてである。その経過を年表風に示すと、次のようになる。

大正末年のコント、掌篇小説関係年表[1]

大正十二年（一九二三年）
六月　岡田三郎フランスより帰国
大正十三年（一九二四年）
二月　岡田三郎「二十行小説」を発表（『文藝春秋』二月號）
中河與一「短篇小説論」を発表（同前）
三月　小島徳彌「新進作家一夕話」で岡田三郎の二十行小説に言及（『文章倶楽部』三月號）
コラム「最近文壇のいろいろ」岡田三郎の二十行小説に言及（同前）

四月　億良伸「掌に書いた小説―四篇」を発表（『文藝春秋』四月號）
六月　岡田三郎「或る女の出納簿」を発表（『文藝春秋』六月號）
七月　中河與一「十行小説」を発表（『文藝春秋』七月號）
八月　岡田三郎「コントと短篇小説」を発表（『報知新聞』八月一日―三日）
　　　今東光「十行小説」を発表（『文藝春秋』八月號）
　　　石濱金作「二十行小説」を発表（同前）
　　　億良伸「掌に書いた小説」を発表（同前）
九月　岡田三郎「短篇小説の一つの道」を発表（『報知新聞』九月二十八日）
十月　菊池寛、芥川龍之介、久米正雄など『新潮』合評會でコントを論じる（『新潮』十月號）
十一月　岡田三郎「コント問題」を発表（『新潮』十一月號）
十二月　川端康成「短篇集」を発表（『文藝時代』十二月號）
大正十四年（一九二五年）
一月　中河與一「これからのために」で十行小説に言及（『文藝時代』新年號）
　　　岡田三郎「白と黒」を発表（『文章倶楽部』一月號）
　　　翻訳オー・ヘンリー「哈利發と下人」（同前）
二月　赤松月船「逆流する気持」中河與一の十行小説の主張と川端康成「短篇集」に疑問を呈す（『文藝時代』二月號）

四月　中河與一「親切」他六篇の二十行小説を特集（『文藝時代』二月號）
岡田三郎『文藝日本』創刊。「コントの一典型」を発表。（『文藝日本』四月創刊號）
木村毅「短篇小説の考察」を発表。（同前）
『文藝日本』創刊號には、横光利一、川端康成、武野藤介、加藤武雄のコントが掲載された。以後、終刊の十二月號まで毎號何篇かコントを掲載する。
五月　廣津和郎、宇野浩二『新潮』合評會で自作をコントにすればよかったと発言（『新潮』五月號）
『文藝日本』中村星湖等五人のコントを掲載（五月號）
六月　川端康成「短篇小説の新傾向」を発表（『文藝日本』六月號）
武野藤介「コントの新しき世界」を発表、廣津和郎の「窓の下」をコントに書きかえる（同前）
川端康成「五月諸雜誌創作評」でコントの実作を評価（『文藝時代』六月號）
『文藝日本』六月號はコント特集號
七月　田口正雄「コントの将来とその使命」を発表（『文藝日本』七月號）
『文藝日本』七月號相馬泰三等七人のコントを掲載、他に読者の投稿三一〇数篇から選んだ七篇のコントも掲載。
宇野浩二「米粒文学―コントに就いて」を発表（『文藝春秋』七月號）
コラム「文藝春秋」コントの流行は、喜ぶべし、を掲載（同前）

八月　廣津和郎「自分と貧乏」でコントに言及（『文藝春秋』八月號）
西村晋一「新しい小説」で岡田三郎の〝主知派の文藝〟という主張に賛意を表明（同前）
北尾亀男「或るコント」を発表（『文章倶楽部』八月號）
翻訳オー・ヘンリー「平和の衣」（同前）
『文章倶楽部』〝五枚以内の短篇小説（コント）〟を募集（同前）
小宮山明敏「文藝随想・コント厳評」を発表（『主潮』八月號）
九月　『文藝日本』コント特集號（同八月號）
『文藝時代』久野豊彦等六人の新人の「掌篇小説」を掲載、編輯後記で「『掌篇小説』という名前は假につけたもので他意あるものではない。」と表明（同九月號）
『文藝日本』上司小剣等十人のコントを掲載、他に投稿三百余篇の中から選んだコント五篇を掲載。コント投稿規定―「二十字詰原稿用紙にて百行以内のこと、賞金一等拾圓、二等五圓、三等二圓」を発表（同九月號）
寺崎浩「コント」を発表（『文藝春秋』十月號）
十月　『文藝日本』稲垣足穂等八人のコントを掲載（同十月號）
石濱金作「月評の代りに」で〝掌篇小説〟をとりあげ、批評（『文藝時代』十月號）
伊藤永之介「最近収穫二篇短評」で川端康成の處女作集『驢馬に乗る妻』の中の「極短い小説十五篇」を高く評価（同前）

十一月　『文藝日本』藤森成吉等八人のコントを掲載。他に入選コント五篇も掲載（同十一月號）
赤松月船「われわれの時代」で掌篇小説に否定的評価（『文藝時代』十一月號）
川端康成「第二短篇集」を発表（『文藝時代』十一月號）
十二月　川端康成「第三短篇集」を発表（『文藝春秋』十二月號）
『文藝日本』人見克等十人のコントを発表（同十二月號）
伊藤永之介「十四年文壇及び創作界に就いて」で岡田三郎、武野藤介のコントを評価（『文藝時代』十二月號）
橋爪健「十四年文壇の大觀」でコントの流行を否定的に評価（同前）

大正十五年（一九二六年）

一月　川端康成「掌篇小説の流行」を発表（『文藝春秋』一月號）
川端康成「第四短篇集」を発表（同前）
三月　『文藝時代』合評會第一回「コントに就いて」の一項を設け、コントを論じる（三月號）
四月　『文藝時代』コラム「文壇波動調」で『文藝戦線』二月號所載の林房雄「林檎」を名コントと評価（四月號）
五月　『文藝時代』合評會第二回川端康成の「短篇集」を評価（五月號）
六月　寺田篤「新味のある作家」で川端康成の「第二短篇集」を評価（『文藝時代』六月號）

以上の不完全な年表からもわかると思うが、この時期短い小説の流行をつくり出す上で最も活躍した人は、岡田三郎である。岡田は「二十行小説」を書き、コント論を次々に発表し、コントに大きな紙数をさいた『文藝日本』[2]を創刊、編集長として腕をふるった。コントの実作も少くなく、コント集も出している。そのコント論の内容は後で見ることにしたい。

岡田と並ぶコント作家は、武野藤介である。多数のコントを書き、廣津和郎の短篇小説をコントに書き換えてみせる、ということまでやっている。コント論も書いている。武野は流行が去った後も、コントを書きつづけ、コント集も何冊か出している。

中河與一は、「短篇小説論」で菊池寛の「短篇の極北」を援用して「少しの時間しか持てゐない」近代人のために「新しき短篇の誕生を」期待した。また、岡田の向こうをはるように「十行小説」を発表した。「掌篇小説」という名称の名付け親は中河である。川端康成は短い小説の意義を説いた人として、中河と岡田を挙げている。

コント、掌篇の流行に独自の、深い関心を示したのが、川端康成である。川端はコント流行の以前から極く短い小説を自分の資質に合った形式として書いていた[3]が、コント流行の時には、その論議を整理し、短い小説の意義を明らかにする評論を二篇書いた。流行が去った後もこの形式に関心をもちつづけ、さらに二篇の評論を時評として書いた。川端の掌篇小説論も、後で見ることにする。

年表に見るように、この時期多くの有名無名の人がコントを書き、論議に加わっている。流行と言ってもよい状況にあった。この時のコントの流行は、関東大震災後は薄い雑誌しか出せなかったため短い作品をジャーナリズムが求めたことによる、という指摘がある。そういう事情もあったのかもしれないが、ともかく流行と言ってよい状況の中で短篇小説よりさらに短いコント、掌篇小説という一つの新しいジャンルが、この時に成立した、と言ってよいようである。

次に流行をつくり出すのに大きな役割を果たした岡田三郎のコント論とこの形式の特徴を解明するのにもっとも貢献した川端康成の掌篇小説論をとり上げ、この時期にどういうことが論じられ、何が明らかにされたか、論議のなかで何が欠けていたのかをを見ることにしたい。

第二節　岡田三郎のコント論

岡田三郎は「コントと短篇小説」「短篇小説の一つの道」「コント問題」「コントの一典型」の四つのコント論を書いている。

最初に書いた「コントと短篇小説」の内容は、ひと言で言うと、コントは即ち短篇小説であるという何の変哲もないものであった。この文章は、フランスのコント風の作品の流行に批判的な水守亀之助の月評に反論するために書かれたものである。

岡田によれば、コントの本来の意義は、話しとか物語りであるが、現実的なものを避け、虚構空想の世界を物語るものである。即ちおとぎ話しというほどの意義が含まれている、という。

しかし、今日コントといわれているものは、ほとんどすべていわゆる短篇小説であり、しかもコント本来の虚構空想の世界など問題にせず、「自由に廣く小説の形式をとり、現實世界から題材をもとめて書いた作品を、すべてコントと稱してゐる」という。ゾラ、フロオベール、モオパサン等の作品は普通コントと呼ばれているが、内容形式ともにいわゆる小説と異るところはなく、ただ短いだけであり、そのためコントといえば短い小説を指すようになった、と岡田は考える。

明治以来、次第に文壇に地位を得た短篇小説は、フランス語の本来の意義はともかく、まさに今日コントと称されているものにあてはまる。独歩、藤村、花袋、秋声、白鳥などの短篇小説というに値するものは、すべてコントである。だから以前から日本の文壇の主流はコント文学であった、と岡田はいう。水守のコント非難に反論して、岡田はコントとは短篇小説のことであり、コントを非なりとすることは短篇作家としてのモオパサン、チェホフ、ディケンズ、現代の短篇作家のことごとくを非なりとすることである、とこの文を結んでいる。

このように岡田の最初のコント論は、フランスのコント風の短篇を擁護するためか、コントとは短篇小説である、という至極平凡なもので、とくに新しい提起は含まれていなかった。

その二ヶ月ほど後に書かれたのが、「短篇小説の一つの道」である。短い文だが、後に「コントの一典型」で〝主知派の文藝〟と名付けたのとほぼ同じ、次のような考えが表明されていて注目される。

わたしは、寫實主義的な短篇小説を是認すると同時に、寫實主義的でないものをも是認したい。人生の現象をそのまゝ書かずに、その現象と、それに對する作者の批評とをすっかりまぜあはせた上で、そこから新たな素材を拾い上げ、それを組み立てて作った短篇小説、いはば、一つの新しい人生を、作者の批評によって作りあげたといふやうなもの、實際の人生に對する作者の批評の結晶、さういふものをわたしは面白いと思ふ。短篇小説といふものの一つの道が、今後その方向にひらけて行ったらいいと思ふ。

「人生の現象をそのまま書かずに、」から「實際の人生に對する作者の批評の結晶」までは、岡田のコント論の核ともいうべきものだが、「さういふものをわたしは面白いと思ふ」というように、この時はまだ主張の仕方は控え目であった。

『新潮』合評會での「岡田三郎氏がなまなかのことを言ふから混亂して來るのかな。[4]」という中村武羅夫の多少揶揄的な発言をうけて、再度自らのコント観を明らかにすべく書かれたのが、「コント問題」である。コントは短篇小説であるという考えが、この文でも表明されている。

「今日のフランスのコントと云ふものは、日本で、これこそコントだともてはやすやうな種類のものばかりではなく、多種多様な形式内容をそなへてゐる。」のを見ても、「コントはかう云ふものだと、窮屈な規則を作って無理にそれにあてはめ、あてはまらないものはコントではない」とする考え方に、岡田は賛成できないと言う。

岡田は「コントと短篇小説とを一つに見なし」ている。そこで「いはゆる短篇小説論者がこれこそ短篇小説であると定義づけるやうなものを、わたしの云ふ廣い意味での短篇小説のなかの一分類と云ふことに」して、「必ずしもそれに最高の位置を與へると云ふのでは」ない、と岡田は言う。岡田はコント、短篇小説に何か特別の条件をつけることを認めていないのである。『文藝日本』創刊號に載った「コントの一典型」には、岡田三郎のコント観がいちばんよく反映されている。まず文壇で短い小説が注目されるようになった状況が、次のように明らかにされる。

ふりかへって見ると、一二年前から、短篇小説と云ふものを本當に文壇の考慮の中へ持ち來たすやうな機運が、徐徐として動いてきたやうに思はれる。……最初私が、……『二十行小説』を發表した時、異を樹つるものとそしられ、奇をてらふものと顰蹙されたにかかはらず、その後『十行小説』『一枚小説』などと云ふものが他の人々によって發表されても、少しも軽蔑されず、不思議がられもしないやうになった。

つづいてコント論に入るが、岡田がこの評論で目的としたのは、「廣い意味のコント、廣い意味の短篇小説の一分類として、或る特殊の機能を發揮したところの『コント』『短篇小説』の存在を明らかにしたい」ということだった。

それはどういうものか、と言えば、先に「短篇小説の一つの道」で表明されたのとほぼ同じ内容のものだった。

「人生の現象を寫實主義的に書くのではなく、その現象とそれに對する作者の批評とをすっかりまぜあはせた上で、そこから新たな文藝素材をつくり上げ、それを組み立てて短篇小説を書く」という主張である。「寫實主義的に書くのではなく」と写実主義の方向をはっきりと否定しているところが、前の評論と違う点である。この自らの立場を〝主知派の文藝〟と呼び、その典型として「フランス現代の作家、マックス・フィッシュ及びアレクス・フィッシュといふ兄弟合作の『意外な人だすけ』と題するコント」を訳出して、紹介している。

評論とその論拠を示す翻訳の作品という構成は、菊池寛の「短篇の極北」と同じである。岡田の頭には、先行のこの評論のことが、あったかもしれない。しかし、紹介した「意外な人だすけ」という作品は、コントの典型というには、凡作であった。

以上の四篇の評論の中で、二十行小説というとくに短い実作とコントとの関連は、明らかにされていない。コントの題材をどうするかという主張はあるが、コントという形式についての規定も何ら示されてはいないのである。

岡田の「二十行小説」及びコントの創作、コント論の執筆、コントを重視した『文藝日本』の刊行は、必ずしも十分に有機的な関連をもっていたとは言えず、結果として「短い短篇小説」に対する文壇と世間の注意を喚起する役割を果たしはしたが、新しいジャンル成立への理論的な貢献は、必ずしも大きかったとは言えない[5]。

第三節　川端康成の掌篇小説論

川端が書いた掌篇小説論は「短篇小説の新傾向」「掌篇小説の流行」「掌篇小説に就て」「文藝時評─短い小説」の四篇である。このうち最後の一篇は昭和四年の雑誌『新潮』の「原稿用紙十枚くらゐの小短篇」の試みについて書かれた、少し後のものである。

「短篇小説の新傾向」は、岡田三郎の「コントの一典型」の主張に賛意を表し、川端自身が「短い」小説を書く文学論的な根拠を明らかにするために書かれたものである。まず当時の短篇をめぐる論議をこう整理している。

「文壇はずっと以前から、短篇小説の文壇であったが、しかしほんたうの短篇小説らしい短篇小説が制作されるやうになったのは、極最近のことである」というのは、千葉龜雄の指摘するところであるが、「短篇小説らしい短篇小説」とは、「長篇小説とは全然異った手法による短篇小説」で、その上に「材料の解釋し方、取扱ひ方に一種の新しい氣持を含んだもの」即ち「近頃文壇の問題になってゐるコント風な短篇」のことである、と川端は言う。

つづいて、日本のコントの特徴を、次のように指摘する。

コントはその本来の條件の外に尚一つの條件が附加されて、日本に輸入されたやうである。この附加された條件は云ふまでもなく、極端に短いと云ふことである。……一般的に云って、コントはその性質上からも自然比較的に短いものであるには相違なからうが、既に翻譯されてゐるフランスのコントだけを見ても、必ずしも極端に短いものではない。ところが、日本の文壇では、所謂二十行小説とコント論とがほぼ同時に現れ、この二つが半ばは必然的に半ばは偶然的に握手をして、コントの形式に一つの條件を附加するやうな結果を招いたと言へよう。

コントの特徴を「極端に短い」ととらえる視点は、岡田三郎にはなかったものである。川端によれば、「極端に短い小説が現れて、多少注目を引いたのは、岡田三郎氏の二十行小説と『文藝春秋』所載の『掌に書いた小説』なぞ」が最初であり、「續いて、中河與一氏の十行小説、武野藤介氏の一枚小説なぞが出た。どれも、……とにかく極端に短い小説であった。」そして「この極端に短い小説の意義なり、使命なりを主張した」のが、岡田三郎と中河與一であった、という。

川端自身も「原稿紙二三枚の小説を十五六篇書い」ているが、これらの作品は「強ひて短く書こうと云ふ不自然な氣持で出来上ったものは殆どな」かったのである。また「極端に短いからと云って必ずしも輕い即興的な氣持ばかりで」書いたのではなかったし、「必ずしも小さい暗示しか持ち得ないとも思はなかった」という。短い小説は川端の資質に合った形式であり、そこに盛り込んだ内容と作品の出来栄えにはそれなりの自負があったことがわかる。自分で短い小説を十五、六篇書いてきた経験が、コントの特徴を正確に指摘させたのである。

つづいて「新たな文藝素材を作り上げ」云々という岡田の「主知派の文藝」という主張に賛

意を表した上で、川端は次のように自分の考えを展開する。

人生を寫實主義的な眺め方で客觀視しないのである。客觀存在と見て離れた立場から解釋しないのである。人生を自分の手で拾ひ上げる。拾ひ上げたままで自分の解釋を下す。つまり人生とそれに對する作者の解釋との距離をもっと短くする。と云ふより、人生を解釋で染め、人生と解釋とを組合せて、一つの模樣を描くやうな氣持で取扱ふ。氣随氣儘に振舞ふ。從って、主知的であると同時に、主觀的であると言へる。

川端は自分の書く原稿用紙二、三枚の短い小説にそくして、この見解を表明したのだった。

岡田氏は何も極端に短い小説を主張してゐるのではないが、私が短い小説を書いた氣持もまた多少右のやうなものであった。

岡田三郎は短篇小説、即ちコントの題材のとり扱い方として「主知派の文藝」を主張したのだが、川端は「極端に短い」小説を書く論拠として右のような考えを表明したのだった。新しいジャンルの特徴を川端は、はっきりととらえていたのである。

さらに半年ほど後に書かれた「掌篇小説の流行」は、掌篇小説という名称を定着させるとともに、結果的にコントの流行を締めくくる役割を果たした評論である。

まず、掌篇小説という名称の由来が明らかにされ、いろいろある名称の中でこの形式の今後予想される発展を考えれば掌篇小説という呼び名が適当であること、また「極めて短い」ということ以外に「何らの條件」もつけない方がよいこと、などが述べられている。つづいて「極めて短い小説の文學論的根據並びに使命に就ては、主として岡田三郎氏中河與一氏なぞによって既に唱道された」ので、「掌篇小説の形式の比較的外面的意義に触れている」と判断した武藤直治の評論「コント形式小論」の論点に賛意を表明するため、筆をとったことが明らかにされる。

川端によれば、武藤の意見の一つは、「極めて短い形式の小説は日本で特殊な發達をするであらう」ということであり、もう一つは「極めて短いと云ふ形式のために、小説制作が非専問《ママ》的な一般市井人のものとなり得やう」ということであった。

「第一の意見の論證として」武藤が指摘するのは、「日本文藝の傳統と国民性」である。武藤が「王朝文學のあるものや西鶴の小説の外に、江戸末期の小咄し、落し噺なぞにコントの形式と内容とが傳統化してゐると説き」「川柳に見られる知的な要素、散文精神的な客觀的觀察、端的なユウモアとアイロニイ」とを「コントと結びつけて考へてゐるのは、殊に面白い意見だ」と川端は評価する。

コントという短い形式によって、「小説創作が一般社會人のものとなり得やう」という武藤の「第二の意見」にも賛意を表明して、こう述べている。

大體今日の小説は、その形式に於て長過ぎ、その内容に於て短か過ぎる。短篇小説が短篇小説らしく引きしまって短くなれば、一般讀者側の喜びであることも事實である。更に極めて短い形式の小説が立派に文學的價値を持て存在し得ることになれば、小説創作の喜びが一般化することも事實である。

そしてさらに自分の意見をこう展開する。

「小説ほど多くの觀賞者を持ってゐる文學形式は外に」ないのに、「小説ほど少數の制作者しか持たない文藝形式は、戯曲を除いては餘り」ないが、「この矛盾は一に小説の形式が長いと云ふ一點から」出ている。第一に執筆に「多くの時間と勞力とが」必要であり、第二に「多くの紙面を必要と」し、第三に「長いと云ふことはより多く專問《ママ》的技術を必要とする」からである。しかし、「掌篇小説の流行によって、これらの困難が除かれたならば、小説制作は短歌や俳句のやうに一般社會人のものとなる可能性は今日十分に認められる。」というのである。

そして「和歌俳句に於て詩の最も短い形式を完成した日本人は、掌篇小説に於てもまた小説の最も短い形式を完成するであらうことは」「十分期待し得る」と期待を表明している。

川端の期待は、「今日のコント、または掌篇小説はまだまだ發芽時代であって、内容形式共に幾多の問題を残して」いて、「俳句で云ふならば、連句時代に近」く、「この形式が進歩し完成するには、今後多數人の力と少數の天才とが必要であらう」と述べているのを見てもわかるように無条件に楽観的なものではなかった。コントの流行自体は歓迎しつつも、岡田三郎をはじめとする人々のコント論と実際に書かれているコント、掌篇小説に川端は、必ずしも満足してはいなかったのだろう。

しかし、評論をしめくくるにあたっては、「従来の短篇小説とは別箇の掌篇小説が花やかに流行する時代は近く來るであらう」と予測した。川端がこの評論を書いた時点でのコントの流行は、こう予測させるものがあったのだろう。ところがこのあとコントの流行は急速にしぼみ、「花やかに流行する時代」は、ついにやって来なかったのである。

この評論は今になって見れば、結果的にコントの流行をしめくくり[6]、「従来の短篇小説とは別箇の掌篇小説」というジャンルの成立を確認する役割を果たした、と言えよう。

さらに二年ほど後の昭和二年（一九二七年）十一月に、「掌篇小説に就て」が書かれた。この評論は『創作時代』という雑誌の掌篇小説欄の当選作の批評の前書きとして書かれたものである。掌篇小説という名称の由来、大正末年のコント流行と二三の別名の中から掌篇小説という名が残ったこと、流行は下火になり掌篇小説に就いての議論も全く姿を消してしまったが、それは「掌篇小説」という文学形式がつまらないものだからではなく、その本質的價値とは無関係な文壇的事情のためであることが、まず述べられている。あらためてこういうことから説きはじめなければならない位、掌篇という形式は早くも人々の関心からはずれたものになっていたのであろうか。

以下が本論になるが、「掌篇小説が文学形式としてすぐれている點」を、川端は四点上げる。

（1）日本人向きであること。
（2）近代的であること。
（3）創作の喜びが一般化すること。
（4）純粋であること。

この四点は、さらに二年程後の昭和四年『新潮』の編集長中村武羅夫の「小短篇」の提起をうけて書かれた「文藝時評—短い小説」で述べられる掌篇小説の意義四点とほぼ重なり合う内容となっている。後者では（3）と（4）の表現が少しだけ変わって、こうなっている。

（3）創作が大衆化すること。
（4）純粋藝術的であること。

この二つの評論が四点にまとめている内容は、ほとんど同じと言ってよいので、両者を合わせて見ることにする。

（1）日本人向きであることと（3）創作の喜びが一般化すること（創作が大衆化すること）の二点は、先の「掌篇小説の流行」で武藤直治の評論にそくして述べられたことと変わらない。

（2）近代的であること、というのもまったく新しい指摘というわけではなく、「掌篇小説の流行」で「『枕草子』には日本に於て最も古く且最も近代的な形式の短篇小説が含まれてゐる」と述べていたのと符合する。こう敷衍されている。

「短篇小説が近代文藝の花であり果実であ」り、「近代生活が生んだ必然的な子供である」とするならば、「短篇小説の精髄であり、短篇小説の頂点である掌篇小説が、より近代的な要素を持ってゐることは、誰しも想像するに難くはないであらう。現代生活は人々の感覺的な心理を増々先鋭に、纖細に、斷片的にしつつある。掌篇小説がそれらの火花となるであらうことも勿論である。」と。

そして「今日の短篇小説がその形式に於て長過ぎ、内容に於て短過ぎる」という「掌篇小説の流行」にあったのと同じ指摘が繰り返されている。

（4）純粋であること（純粋藝術的であること）は、新しい指摘である。一見論理的な、しかし比喩的で詩的な表現でこう説明されている。

短篇小説は長篇小説よりも藝術的に純粋である。詩は短篇小説よりも藝術的に純粋である。……してみれば最も短い形式の掌篇小説が小説のうちで最も藝術的で純粋であるのは當然である。鋭い心の一閃き、束の間の純情、そんなものはちゃうど即興的な詩を歌ふやうに、掌篇小説の形式にはそっくりそのまま移し出すことが出來るのである。

「鋭い心の一閃き、束の間の純情」という箇所などは、アメリカのショート・ショート論に見られる定義とよく似た表現である。

以上の四点は、川端の掌篇小説論の到達点であると同時に、日本の掌篇小説論の一つの到達点でもある。

岡田三郎、川端康成のコント論、掌篇小説論、とりわけ川端のそれによって、題材の取り扱い方、この形式が必要とされる時代状況、伝統や国民性との関連、「極く短い」という規定、短いが故にもつ発展の可能性、形式の純粋性というような、さまざまなことが明らかにされた。しかし、短篇小説と区別される掌篇という形式の特徴、或いは制約が、必ずしも具体的に明らかにされたとは言えなかった。例えば長さ（字数の制限）をどの位とするのか。『文藝日本』やその他の文芸誌の投稿規定では、「四百字詰原稿用紙五枚以内」となっているが、評論ではとくに長さについてはふれられていない。プロットのあり方についても「落ち」が必要か否かという形でしか問題にはなっていない。描き方について、コント風という漠然とした了解はあったようだが、必ずしもはっきりしない。テーマや題材の適不適という点もとくに議論されてはいない。つまり、短篇小説とは異なる新しいジャンルの特徴が十分分析的に論じられたとは言えないのである。

川端康成以外に評論と実作の両面からこの形式を追求しつづける人が、ほかにいなかったことも理論的解明を不十分に終わらせた原因である、と言えるかもしれない。

注

1) この年表は『新潮』『文藝春秋』『文藝時代』『文章倶楽部』『文藝日本』『報知新聞』などからコント、掌篇小説に関わる事項、記述を抜き出して作った。

2) 『文藝日本』について瀬沼茂樹『大正文学史』（講談社、一九八五年九月）には、こういう説明がある。「『文藝日本』は、大正一四年四月創刊、同年一二月、経営不振のため、九冊をもって廃刊した文藝雑誌。初め岡田三郎の編輯、後に武野藤介が編輯にあたった。岡田三郎は本誌でコントを逸早く紹介した。」

3) 瀬沼『大正文学史』（前出）には川端の掌篇小説について次の記述がある。

「川端康成は『短編集』（大正一三・一二文藝時代、「第二」大正一四・一一・同、「第三」大正一四・一二・文藝春秋、「第四」大正一五・四・同）と題して発表した掌篇小説（或いは「掌の小説」）を中心にまとめる処女小説集『感情装飾』（大正一五・六・金星堂刊）をもって新感覚主義の特色をみせた。この作品集の冒頭に初恋の娘にともなう思い出『日向』（大正一二・一一・文藝春秋）を置き、この初恋に関聯する心の傷を幻想や夢にうつす『弱き器』『火に行く彼女』『鋸と出産』（大正一三・九・現代文芸）をおさめる。これをみると、招魂祭の賑いを背景に曲馬団の娘の心理を追う処女作『招魂祭一景』（大正一〇・四・新思潮）を先駆とする掌篇小説一般に川端康成の藝術の成立がうかがわれる。……一言でいえば、その豊富な詩情を事物に触れて発する聯想や空想や幻想のうちに屈折して、実験的技法を凝らして、独立した美の世界に装飾した感情である。掌篇小説は前衛藝術の技法を活かし、「奇術師」の称呼をとるまでに自由自在に使いこなした、その才能の万華鏡である。初恋の娘とか肉親につながるものの他、町の散歩で思いついたもの、伊豆の湯が島や古奈や下田で見聞したものといったように、発想の根拠となる題材の変化が豊かであるが、また即興詩のような思案や分別や逆説のうちに、自己とは対蹠的な野性への憧憬から神秘的な魂の深層の幽暗への暗示まで、生の鋭い認識の種種相を思わせるものをあらわして、コントを自己の資質にかなったものに転化した。この極端な省略や飛躍や逆説を冒す小さな美的結晶にみせた新感覚主義は、人生百般の事象にたいする精神の好奇の有り方であり、『僕の標本室』（昭和五・四・新潮社）その他にまで継承されていくばかりでなく、名作『伊豆の踊り子』（大正一五・一、二・文藝時代）の日本的抒情を鎧う細工である。」

4)『新潮』大正十三年五月號、七一頁。

5) 岡田三郎の「二十行小説」に対しては賛否両論が相半ばした。次の一文は、菊池寛の「短篇の極北」で紹介された「獨軍の残したもの」を評価し、二十行小説」を批判したものである。

「最短篇小説の極端な例として、記憶のいい読者は曾て芥川龍之介が新潮誌上に紹介したハアバアト・ライソイ《ママ》・ホウの作を思出すであろう。岡田三郎が所謂二十行小説のタネもこのあたりから出たものではないかとおもわれる。ライソイ《ママ》ホウの作を見て誰しも感ずる事はあれだけの短い文章でありながら、締めるところがちゃんと締めてあって、尻切れトンボになっていないことだ。それだけで既に立派なものである。長篇のなかのある一節と言う気持のせぬところにである。

　例の二十行小説にはそれがない。あの女の独語から読者は、可成広いある生活の背景を漠然と感ずるだけだ。その広い背景の至極拙い切れっ端があれだけの価値しかないのだ。」小林多喜二「赤い部屋」（『クラルテ』一九二四年、『小林多喜二全集』新日本出版社、二一八―二一九頁）

6) 流行をしめくくる役割を果たした、というのは、この評論が出た後、流行は急速にしぼんだことは、諸雑誌にコントやコントに関する記事がほとんど載らなくなったことに明らかである。昭和二年十一月に書かれた「掌篇小説に就て」の記述もそれを裏付けている。

第四章　壁小説と牆頭小説

第一節　日本の壁小説

昭和六年（一九三一年）から七年（一九三二年）にかけて日本のプロレタリア文学運動の中で「壁小説」という掌篇が、有名無名の多くの作者によってとりくまれた。

雑誌『戦旗』一九三一年二月號には、「建国祭をたたきつぶせ！」（堀田昇一）「食堂のめし」（窪川いね子）という、ともに見開き二頁にちょうど収まる短い作品が二篇掲載され、「編集ノート」には「今月號から『壁小説』をのせた。『壁小説』は全く新しい試みだから、特に諸君の厳密な批判を求める。」と書かれている。これ以後同誌には、二、三篇づつ壁小説が掲載され、『ナップ』『プロレタリア文学』『文学新聞』等の諸種のプロレタリア運動関係の紙誌にも載るようになる。また『中央公論』誌上でも一九三一年と三二年の二回にわたって、「壁小説」の小特集が組まれ、[1]『朝日新聞』や『時事新報』『中央公論』などの一般の新聞、雑誌の文藝時評でもとり上げられた。

壁小説に強い関心を示し、自分でも何篇かすぐれた作品を書いただけでなく、評論で繰り返しこの形式に言及したのは、小林多喜二だった。最初に『中央公論』（一九三一年五月號）の文藝時評で、「短い」短篇にふれて以後、同年十月一日の『朝日新聞』の文藝時評で壁小説などの「短い形式」の意義に言及するまで、計五篇の評論で壁小説をとり上げている。[2)] 包括的に壁小説を論じた「『壁小説』と『短い』短篇小説―プロレタリア文学の新しい努力」という評論をもとに、壁小説とはどういうものか、見ておこう。それにはこう書かれている。

> ルナチャルスキーの所謂「初歩的な、単純な」内容でもいいから、それでもって百万の労農大衆の中に入って行くような作品を作らなければならないという警告に対して、私たちは充分それを理解しながら、――然し充分にそれを「実践」に移してきたとは云えなかった。
>
> ……
>
> ところが昨年の半過ぎ頃から、『戦旗』で、壁小説の試みを提唱し出した。
>
> 『戦旗』がなぜ「壁小説」の試みをやり出したかについて、それは何よりまず、――大衆の要求をいち早くとり上げてのそれであると同時に、私たちの積極的な努力によるものであった。勿論完全な形でではないけれども、その「壁小説」のうちに、私たちは「初歩的な、単純な」内容にさし向けられたプロレタリア文学の新しい一つの形式の萌芽を見出すことが出来たのである。
>
> 壁小説が働いている労働者、農民の層に直接《ジカ》に入り得る理由は、第一にそれが一二頁の

ものであり、何ンな処ででも、何ンな時ででも、たちまち読み得て、しかも一つの纏ったものをつかむことが出来るからであり、第二にはそれが労働者、農民のあらゆる会合の場所に貼られ、それらの大衆が直接に求めているものに答える具体的な内容をもっているからである。

(中略)

……一九三二年に於て、わが日本のプロレタリア文学の新しい一つの努力が、この方向へむけられなければならないと、私は考えている。[3)]

ルナチャルスキーの「警告」とは、いわゆる芸術大衆化の提起である。壁小説というのは、その一つの試みとして、「一二頁のもので」「何ンな処ででも、何ンな時ででも、たちまち読み得て、しかも一つの纏ったものをつかむことができる」短い小説を、集会所の壁などに張って読ませるという目的で考え出されたたものであったことがわかる。

内容は「大衆が直接求めているものに答える具体的な」ものであることが要求されていた。しかし、引用から省いた部分には「壁小説の任務を『一面的に』『公式的に』しか理解しないと、」「面白くもない『説教』となり、『何々しろ!』でしかなくなってまう」が、それではだめで、「最後の一行を読み下した瞬間に、水際立って割り切れる」短篇の技術が必要なことも強調されている。だから、「プロレタリアの短篇作家はその意味で、菊池寛のあのテーマ小説とか、優れた外国の短篇作家のもの——殊にコントなどに学ぶ必要がある」というのである。

また「この壁小説の形式がプロレタリア文学の分野に全く新しい重要な影響を与えるということ」「短い短篇の方向に形式の上でも豊富な寄与をなすものだ」ということも強調されている。

内容的には新しいものを目指してはいるが、短い小説という形式とそれに特有の技術も重視するという点では、大正末年の流行と切れたところで考えられていたわけではなかったのである。

労働者や農民が読者となることを配慮した、「小形式の作品、極く短い物語、短い詩、報告文学」などへのとりくみは、いろいろな国で工夫されていたようで、その面での先進であったドイツの運動に学ぶ必要を述べた評論も小林多喜二は書いている。[4] 後に当時の運動をふり返って、壁小説は「ドイツで発達していた小形式の文化運動の一つであった」[5] と書いている人もあるが、壁小説は日本の運動の中で作り出された「新しい文學形式」と考えてよいのではないか。

小林多喜二の他に壁小説について時評等で論じた人は何人かいるが、江口渙、川端康成、窪川鶴二郎のものを見ておくことにする。

江口渙「新しい文学形式—中央公論の壁小説」(『時事新報』昭和六年七月二十七、二十八日)は、『中央公論』同年七月號が特集した小林多喜二「テガミ」、片岡鉄兵「今度こそ」、村山知義「オルグ二人」、細田源吉「差し入れ競争」、立野信之「若い者の権利」、武田麟太郎「朝の一景」の六篇の壁小説をとり上げて論評し、新しい文学形式である壁小説の意義を明らかにするために書かれた文藝時評である。

小林多喜二の評論と重複する点は避けて、紹介する。

江口によれば、壁小説は「日本の『戦旗』進んでそれを創出した」「注目に値すべき新しい文學形式である。」そして大衆を啓蒙するという階級的任務を負っているという点で、「ブルジョア文學の所謂コントとは全然區別さるべきものである。」ということになる。担うべき任務を強調せんとする余りであろうが、小林多喜二がむしろ強調していた技術的な面でのコントとのつながりを、江口は断ち切ってしまいかねない書き方をしているのが気になるところである。

六篇の作品のうち小林多喜二のものを除く五篇について、江口は部分的には評価しつつも全体としては不満を表明したが、小林の「テガミ」に対しては、次のように絶賛に近い評価を送った。

「小林多喜二の「テガミ」は遙に強く讀者の心を打った。ことに終りに近づくにつれて凄惨限りなき出来事が、次から次へと盛り上がって来て、息づまるほどの鋭さで讀者の胸を貫く。……壁小説中の白眉である。」

こう書かれた二日後に、同じ『時事新報』(七月三十日)の文藝時評で、川端康成も壁小説をとり上げた。川端の評価は、江口よりも厳しいものだった。

「小林氏の『テガミ』以外の五篇は、その材料にも、その形式にも『壁小説』の『壁小説』たる所以のものが余りに少」く、また「生きた言葉が余りに少い」「文學的死物」であると川端は断じた。しかし、それらと比べて「小林氏が一言一句急所を押へて、ものの姿を浮き上らせ、一言の無駄もないやうに努めてゐるのは、……尊敬に値する」と評価している。

壁小説の大衆啓蒙的な任務を重く見るという点は、川端を除くどの評論にも共通することであるが、その中で大衆による創作を重視した窪川鶴二郎の意見が注目される。窪川の文藝時評(『中央公論』昭和六年九月號)も、壁小説の意義を明らかにし、『中央公論』の特集の六篇を論評するために書かれたものである。こう指摘している。

「壁小説の内容となるものは、當該職場の現實に直接關係のあるもの、特にその職場内におけるあらゆる日常問題、話題の中心になるものが第一にえらばれる。何となれば『ははあ、あのことか』といふ風にそこに書かれてゐる現實が生き生きと讀者の心に呼び起されることは、最も効果的だからである。」

こういうことであれば、プロレタリア作家もとりくまなければならないにしても、「私の考へでは、勞働者農民自身が書くことこそ、壁小説の本質に最も適ってゐるのだと思ふ、……この形式は、取り扱はれる事象に精通してゐるものならば誰にでも書ける形式なのである。」という。

大衆が作者になりうるというこの指摘は、大正末年のコント論議の中にも見られたもので、短い形式のもつ特徴の一つである。『戰旗』『ナップ』の地方での活動報告の中には、時々に発表された壁小説の数なども含まれている。それを見ると、かなりの数の壁小説が書かれたことがわかる。その多くは大衆の創作だったのではないか、と思われる。

壁小説は、運動への弾圧の中で短命に終わった。

第二節　中国の牆頭小説

中国でも一九三〇年代から四〇年代にかけて「牆頭小説」と言う名称の掌篇が書かれたことは、新時期（文革後）の微型小説関係の評論の指摘するところである。[6]「牆頭」とは、中国語で壁という意味であるから、牆頭小説と壁小説は同義である。なぜ同じ名称のものが日中両国に存在したのか、両者の間に何らかの関係があったのかどうか、を端的に明らかにした文献は、作家孫犁が一九四〇年に書いた「牆頭小説について」という文である。こう書かれている。

牆頭小説という名称は、日本から伝わってきたものである。一九三〇年代に日本の左翼文芸雑誌『戦旗』は、工場、農村、団体の中の進歩的作家にこの種の文学を書くこと、自分たちの居る場所、置かれた環境の中で起こった事をすばやくこの形式の作品に書き上げて、近くに貼り出すことを呼びかけた。一九三一年中国の文芸雑誌『北斗』（編集長丁玲）は、この形式を紹介し、また作品を何篇か掲載した。しかし中国では、この運動は筆者の知るかぎり、当時も「壁」の上でくり広げられたことはなかった。[7]

この文から「牆頭小説」という言葉が、日本語の「壁小説」をそのまま中国語に訳したものであったことがわかる。孫犁の指摘にしたがって『北斗』を繙いてみると、同誌第二巻第一期

（一九三一年）掲載の銭杏邨の評論に牆頭小説という言葉が出てくる。これがこの言葉が使われた最初である。それにはこうある。

次に、作品の形態も、簡単明瞭で、労働者農民大衆の受け入れやすいものを原則とする。今我われは中国にもともとあった大衆文学、西欧の報告文学、宣伝芸術、牆頭小説、大衆朗読詩等などの形式を研究するとともに、批判的に取り入れる必要がある。

左翼作家連盟の運動方針の一節である。作品は『北斗』第二巻第三・四期合刊（一九三二年七月）に、白葦という作者の牆頭小説が五篇（「夫婦」牆頭小説四篇）掲載されている。編集長の丁玲は、「編集後記」の中で「とくに白葦君は、前途大いに有望である」と評価している。「夫婦」以下の五篇は、日本の壁小説とよく似た感じの、労働者の日常や左翼的運動にたずさわる人の活動を点描した作品である。中国の牆頭小説が日本の壁小説の影響下に書かれるようになったことは、別の資料からも確かめることができる。『中国現代文学期刊目録匯編』[8)]から日本の壁小説の中国語への翻訳と中国の作家の手になる牆頭小説を拾い出して見ると、以下のようになる。

日本の壁小説の翻訳は次の三篇である。

（一）牆頭小説「千人針」（〔日〕Kubogawo Ldeko 作、適夷訳）――『文藝新聞』週刊、第四八号（一九三二年三月二十八日）

（二）牆頭小説「凱旋」（〔日〕堀田昇一作、森堡訳）―『文學月報』第三期（一九三二年十月十五日）
（三）「食堂的飯」（〔日〕窪川稲子作、竹舟訳）―『文學雑誌』第一巻第二号（一九三三年五月十五日）

（一）の作者名は、もちろん、Kubokawa Ineko（窪川稲子）の誤りである。当時の壁小説の中で必ずしも優れた作品とはいえないこの三作が選ばれた理由は不明である。ただ、この二人の作者は、『戦旗』に壁小説がはじめて載った時の作者だったからかもしれない。

中国の作家の作品は次の四点（作品数では八篇）である。

（一）牆頭小説「放工后」（它河作）―『文藝新聞』週刊第五〇号（一九三二年四月十一日）
（二）牆頭小説「游戯」（白韋作）―『文藝新聞』週刊第五九号（一九三二年六月十三日）
（三）「兩個不能遺忘的印象」（沈端先作）―『文學月報』第二号（一九三二年七月十日）
（四）「夫婦（牆頭小説四篇）」（白葦作）『北斗』第二巻第三・四期合刊（一九三二年七月二〇日）

以上のリストからまず日本の壁小説が訳され、つづいて中国の作者による牆頭小説が書かれた、ということがわかる。日本の作品が手本の役割を果たした、と考えてよいのではないか。日本との全面戦争の危機を前にして、一九三六年に上海で二期だけ刊行された雑誌『文學青年』[9]は、「国防文学」という立場から牆頭小説に注意を向けている。その第一期の裏表紙には、次のような原稿募集の規定が載っている。「特に次の新しいタイプの作品を求める：（1）報告文学。（2）牆頭小説。（3）生活あるいは闘争の通信。……短くあるべき原稿は可能なかぎり短くすること（例えば牆頭小説のように）。」第二期には、懐紫という作者の「孩子的死」（「子供の死」）という牆頭小説一篇と牆頭小説に関する短文が載っている。なかなか興味深い情報を伝えるものである。短いものなので全文を訳出してみよう。

牆頭小説は、たぶん現代の労働者が宣伝用に壁に貼る壁新聞に手書きした短篇小説に起源をもつ。ソ連の十月革命後の学校や社会主義建設時期の工場や集団農場では、「ウォール・ペイパー」とか「ファクトリー・ニュース」と呼ばれる手書きの、もしくは印刷された小新聞が盛んに出され、それに辛辣で鋭い、風刺的な或いは写実的な物語形式の短篇が載った。その特徴は最も簡潔な書き方、最も速度のあるテンポ、最も煽動的なタッチで人々の注意を引きつけなければならない、というところにあった。その題材はいつも断片的で、事件の一点もしくは一面だけを描いた。作者はきまって大衆自身であり、生活集団の中の仲間の一人であった。必ず漫画か、或いはそのための挿絵つきで掲載されたのは、興味深いことであった。これらの壁新聞の編集者、投稿者、牆頭小説の作者の中から優れた創作家、偉大な社会主義文学の予備軍を訓練し、生み出すことができたのである。

日本では工場労働者と大衆の新聞が、いずれも壁新聞及び牆頭小説というこの方式に学んで、下層大衆の文学運動を推進するとともに、相当な収穫と成果をあげている。

わが中国ではどうか。九・一八（満州事変）及び一・二八（上海事変）以来、壁新聞というものも広汎に有るようになったし、牆頭小説も出現した。今日我々が特に提唱する所以は、国防文学の現段階にあっては、真に大衆的な、或いは大衆に適合した作品が大量に生まれなければならないからである。即ち壁から移して紙に印刷する、或いは紙から写して壁に書くということは、なんと面白いことではないか。

これによると、壁小説は日本で新たに創出されたものではないようにも思えるが、先駆的なもの（壁新聞に絵入りで掲載された諷刺的な短篇）にヒントをえて、名称を含め日本で工夫されたと考えてもよいようである。

牆頭小説はその時々の必要に応じて提唱され、書かれるという状況が、これ以後も断続的につづく。抗日戦争期をあつかった文学史の、次の一節は、その間の事情を伝えるものである。

短小で生きいきしていて、その時起こった社会的事件を芸術的な手段を用いて描くことによって政治的任務に奉仕する牆頭小説は、戦闘性に富んだ一つの形式である。抗戦以前に上海で二期だけ出版された『文学青年』は、牆頭小説に大きな注意をはらった。戦争勃発後は、時たま游撃区の謄写版刷りの刊行物にこの種の作品を見かけることはできたが、後方の刊行物や農村で活動する者は、だれもがこれを忘れてしまったようであった。ある時期、『新華日報』紙上に時どき牆頭小説がのることがあったが、大半は游撃区の作品で、内容も游撃区の生活を描いたものであった。大後方（国民党統治地区）ではこの種の作品をあまり見かけたことはなく、一般の人々もさして関心を向けなかったようである[10]。

壁小説のような短い形式が追求されたのは、日本でも中国でも受け手である読者の文化水準への配慮からであったことは、すでに明らかであるが、「人口の九割をこえる人々が文盲だったと推定される[11]」当時の中国においては、こういう形式への期待は、一層切実であったと思われる。牆頭小説が再度注目されるのは、抗日戦争をたたかう晋察冀辺区、晋冀魯豫辺区などの抗日根拠地においてであった。

作品の小型化、通俗化、大衆化は、この時期の創作の、もう一つの重要な特徴である。解放区は敵の後方にあって、短期間に目まぐるしく変化する戦争の情勢を、時を移さず描くことが求められている。不安定な生活環境は、作者に長篇の大作の執筆にとりくむいとまを与えなかった。そのため、短い詩、一幕劇、報告文学等の文学形式が、解放区で長足の進歩をとげた。解放区は農村にあり、字をほとんど知らない文盲の農民が、作品の主要な受け手である。農民という読者の美的要求にこたえるため、解放区の作者は通俗化、大衆化という面で大きな努力をはらった。作品の内容が通俗的でわかり易く、形式は小さく引きしまっていて、「言葉が生き生きとしているので、多くの農民に受け入れられ、好まれて、人民大衆と切り離すことのできないものとなった。……解放区文学の草創期に、街頭詩、槍杆詩、牆頭小説、一幕劇、街頭劇等の通俗的な作品は、大衆を立ち上がらせる面で、大きな宣伝力、結集力を発揮した。その社会的な働きを低く評価することは出来ない[12]。

短い形式が好まれたし、また短い形式でなければならなかった理由が、戦争という状況下における作者と読者の両面から明らかにされている。

次の記述は根拠地の立ち後れた物質的条件が、牆頭小説という形式の活用を促したことを伝えるものである。

晋察冀辺区では、十分な印刷条件がなかった。それにひきかえ各村々、学校、行政機関には、すべて自分のところの壁新聞と黒板新聞があった。かくて牆頭小説が、時代の要求と可能な物質的条件に依拠して、晋察冀辺区の村や町で展開された。それは一枚の紙に書いて壁に貼るか、その方が多かったが壁新聞の中に組み入れられるか、した[13]。

牆頭小説が実際にどのくらいの数書かれたのか、資料はないが、或る文学史の「(晋察冀)辺区の文聯と魯迅文芸奨金委員会が発表した一九四一年の『軍民誓約文芸コンクール』での受賞牆頭小説が二十六篇もの多きに達したことからも、当時牆頭小説の創作が盛んであった状況の一端を見ることができるだろう」[14]という指摘は、推察の手掛かりを与えてくれるものである。

一般の大衆が短い形式の受け手であっただけでなく、書き手でもあったことを、次の記述は明らかにしている。

立ち上がった農民と前線に赴く兵士が、これらの作品のいちばん熱心な読者だった。街頭詩、槍桿詩、牆頭小説、一幕劇、街頭劇等の作品のうち、かなりの部分がまた労働者、農民、兵士の作者の手になるものであった。労農兵の作者は、作家の援助と指導の下に、『文芸サークル』などの組織を通じて、言葉を学び、創作を学んで、誇りをもって文学の殿堂に入っていった。[15)]

牆頭小説という形式が、もっとも所を得たのは、抗日戦争下の中国の解放区においてであった、と言ってよいのではないかと思う。

一九五八年、大躍進運動が中国全土で展開された時、小小説が大量に書かれた。当時各地で刊行されていた文学雑誌の中で、「牆頭小説」という名称の作品を載せている雑誌と、「墻頭文藝」という欄に小小説などを載せている雑誌がそれぞれ一種づつあった。前者は『北方』（中国作家協会黒竜江省分会発行）であり、後者は『萌芽』（同上海分会発行）である。『北方』には九月号から「牆頭小説」の欄がつくられ、六篇の作品が掲載されるとともに、牆頭小説を推奨する記事も載っている。それにはこう書かれている。

『北方』九月号には、「牆頭小説」というコラムがもうけられた。これを読んですっかり気に入った。（いわゆる「牆頭小説」とは、壁に貼れるくらい短くなければならないものだ。）

文章は短いが、味わいがある。書き方にも独自の特徴が見られる。

……

文盲一掃後、労働者、農民は語り物を聞きたいと思うだけでなく、小説も読みたいと思うようになった。しかし時間があまりないので、短い時間で読み終われる小さな作品を読みたがっている。書くという点でも、この形式は労働者、農民に習熟しやすいものである。いちばんよい点は、短くて速く書けるので、この大躍進という状況を比較的すばやく反映できることである。

名称も形式も変わらず、内容も当面する課題を「すばやく反映する」という点では、四〇年代の解放区の墻頭小説と変わらない。このあと十月号には墻頭小説四篇のほかに小小説も五篇掲載されている。十二月号には、「『北方』の編集者はこの欄を継続し、もっと多くの優れた牆頭小説が読者と対面できるようにして欲しい」という読者の声も寄せられている。五九年二月号にも、六篇の牆頭小説が掲載されているが、以後この欄はなくなる。間もなく小小説も姿を消している。

『萌芽』は、少し早く一九五八年第六期（三月一六日）から「牆頭文藝」という欄をもうけ、そこに小小説と墻頭詩などを掲載しはじめた。其の号の編者の言葉には、こう書かれている。

今期から「牆頭文藝」という欄も新たに始めた。この欄の読者対象を、われわれは小学校卒業程度の学力をもつ労働者、農業社員、中隊の兵士と考えている。この欄はこれまでの革命闘争の時期の旧解放区の、文芸を普及する伝統を引きついで、通俗的な文芸の形式によって当面する政治運動の一つひとつ、工場、農村、部隊の中のさまざまな新しい人、新しい事、新しい気風をすばやく描くものである。「小小説」「墻頭詩」「説説唱唱」「革命闘争小故事」「灯謎」「漫画」等の項目があるが、文章は短く溌剌とし、言葉は生きいきとわかり易いものである。工場、鉱山の職場、農村の文化館と中小の市や村の街角の黒板新聞、放送ステーションに提供し、宣伝、放送の材料にしてもらってもよい。転載歓迎、張り出すことも歓迎である。読者の投稿も大いに歓迎する。

この欄は、同年の十六期（八月十六日）まで十一期続いた。十七期からは、欄はなくなったが、その代わりに小小説の掲載数がふえている。五九年の第六期（三月十六日）に「牆頭文藝」の欄は復活し、第八期にはそれを歓迎する読者の声も寄せられている。しかし四期つづいただけで、第十期には再びこの欄はなくなり、小小説も姿を消している。大躍進の熱狂が終わったためと思われる。

以来、牆頭小説というジャンル名は、用いられていないのではないか。

中国の牆頭小説は、三〇、四〇年代に書きつがれ、五〇年代の終わりにも再び姿を見せた。牆頭小説と小小説が同時に存在したということは、その両者の間に断絶はないということである。五〇年代末の小小説が現在の微型小説の基礎となっていることについては、あとで見ることにしたい。多少の消長はあったが、短い小説は中国ではとだえることなく続いて現在に至っているといえるだろう。

日本の壁小説は、一九三一年、三二年にかなりの数の作品が集中的に書かれた[16]が、プロレタリア文学運動そのものへの弾圧によってわずか二年余りで姿を消し、その名称も歴史の中に埋もれてしまっている。現在、日本でショートショート、超短編に関心をもつ人で、大正末年にコントや掌篇小説が流行したことを知っている人も多くはないであろうが、果してどれだけの人がかつて壁小説という形式が存在し、文壇の話題となったことを知っているだろうか。ほとんどないのではないか、と思われる。

注

1) 『中央公論』昭和六年七月號、昭和七年七月號。

2) 「文芸時評」(『中央公論』昭和六年五月號)、「壁小説と『短い』短篇小説―プロレタリア文学の新しい努力―」(板垣鷹穂編『新興芸術研究(2)』一九三一年六月、刀江書院)、「読ませたい本と読みたい本」(『戦旗』一九三一年八、九月號)、「当面の課題」(『都新聞』一九三一年八月十六日―二十日)、「文芸時評」(『東京朝日新聞』一九三一年九月二十六日―十月一日)の五篇である。

3) 『小林多喜二全集』第十巻、新日本出版社、一九六八年十二月刊、四七頁―四八頁。

4) 「当面の課題」(『小林多喜二全集』第十巻、前出、一〇七頁―一〇八頁。)「文芸時評」(『小林多喜二全集』第十巻、前出、一二三頁―一二四頁。)

5) 手塚英孝『小林多喜二』下、新日本出版社、六七頁。

6) 江曾培「微型小説初論」(『微型小説選』上海文藝出版社、一九八二年十二月、凌煥新「微型小説探勝」(凌煥新等編『微型小説選』2、江蘇人民出版社、一九八三年九月。

7) 孫犁「関于墻頭小説」(孫犁『耕堂雑録』河北人民出版社、一九八一年六月、七五頁。『孫犁文論集』人民文学出版社、一九八三年三月、一七一頁。

8) 唐沅等編『中国現代文学期刊目録滙編』上、天津人民出版社。

9) 『文学青年』周楞伽編集、當代出版社、民国二十五年(一九三六年)四月、五月。

10) 藍海『中国抗戦文藝史』山東文藝出版社、一九八四年三月、九〇頁。

11) 前野直彬編『中国文学史』東京大学出版会、一九七五年六月、二八八頁。

12) 劉増傑主編『中國解放區文學史』河南大学出版社、一九八八年五月、五五頁。

13) 王剣青、馮健男『晉察冀文藝史』中国文聯出版公司、一九八九年十二月、六四頁。

14) 同前、六四頁。

15) 劉増傑『中國解放區文學史』前出、二二一頁。

16) 当時書かれた壁小説は、プロレタリア運動関係の新聞雑誌、『中央公論』『帝国大学新聞』などに掲載された。その内の六十篇が、『日本プロレタリア文学集・20「戦旗」「ナップ」作家集』7、(新日本出版社、一九八五年三月)に、「掌編・壁小説集」として収められている。

第五章　一九五〇年代末の小小説とショートショート

第一節　一九五〇年代末の中国の小小説

一九五八年の大躍進運動の中で、中国における短い小説の三度目の流行のピークがやってきた。各地の文芸雑誌に小小説或いは牆頭小説と呼ばれる短い小説が毎号のように掲載され、流行と言ってよい状況が出現した。この状況は翌五九年の半ばころまでつづき、大躍進への熱狂が下火になるにつれて、小小説も各雑誌から姿を消していった。雑誌によって掲載の始まりと終わりがまちまちであるのは、小小説へのとりくみが自然発生的であったことを示すものと考えられる。

五八年の始めから短い形式の作品の必要を説く文章が各地の雑誌に掲載されているのが目につくが、小小説に関する評論は一九五八年はじめに発表された老舎の「多写小小説」[1]が、多分最初のものであろう。老練な作家の手になるものだけに、短いが目配りのよく効いた評論である。書き出しはこうである。

新聞雑誌を活気づけ、文芸作品が時を移さずに新しい人物、新しい出来事を描けるようにするには、みなが小小説をたくさん書かなければならない、と思う。

小小説は、たとえば多くても二千字を超えない、もっとも短い短篇小説である。

長篇においても精錬の必要を指摘したあと、老舎は社会的にも短い作品が求められていることを明らかにする。


さらに社会の需要という面から言うと、わが国ではこれまで手をつけられずにいた多くのことが今まさに始められ、積極的にとりくまれているところで、誰もが忙しく、どこでも忙しくなっている。こういう状況のもとでは、短い作品こそ飛躍的に前進する現実を時を移さずに描き、広汎な読者を教育することができるのである。長篇は書くのにも時間がかかり、読むのにも時間がかかる。短篇の方が役にたつ。我々は長篇を拒否しないが、短篇の優越性も認める必要がある。社会主義の建設は速く立派にやりとげなければならないから、作品も短く緻密でなければならないのだ。


小小説を短篇とは異なる新しいジャンルと見なしてとりくむよう、次のように述べる。

作家がこれから筆を執る時は、手を入れ、さらに手を入れて、より短くより緻密に書くようにと願っている。小小説をひとつの新しいジャンルと見なして、他と違った構想を打ち出して、一、二千字ですばらしい、清新な小説をつくり出すことができたらといっそう願うものである。

また、小小説の特質、創作する時の留意点をこう指摘している。

小小説は小説であって、随感でも報道でもない。短いけれども、人物がいるのだ。これはたいへんなことである。こういう小説を書くには、作者は深く問題と人物を理解するとともに、また事実を概括的に叙述し、ふた言み言で人物を描き出せなくてはならない。これは非常に高度な技量である。作者はこの技量を身につければ、一生その恩恵を被るだろう。

創作のツボを心得た作者ならではの指摘である。結びはこうなっている。

我われは随感と報道を排斥しない。しかし、我われは人物のいる小小説をたくさん書くようがんばろう。社会主義的人間にはこれまでになかった、特別の輝きがあり、我われの事業は称賛さるべきであり、我われの人物はいっそう称賛されるべきである。だから、もし我われが短くて精錬され、しかも人物のいる小小説をがんばって書くことができるなら、きっと高く評価されるであろう。

これは著名な作家による小小説創作の呼びかけと考えてよいだろうし、その後の創作状況を見ると一定の役割を果たしたと言えるだろう。

1、当時の諸雑誌に見る小小説の盛衰

最も早く小小説を載せ、その後継続的に小小説を掲載した雑誌に『萌芽』がある。『萌芽』には当時の小小説の盛衰の全体的な動向が反映されていると思うので、この雑誌の動きをたどってみることにする。

半月刊の『萌芽』は、一九五八年第六期（三月十六日）から「牆頭文藝」という欄を新設し、そこにその他の短い形式、即ち墻頭詩、説説唱唱、革命闘争小故事、灯謎、漫画などとともに小小説を掲載しはじめた。その号の「編集後記」には、この欄についてつぎのように書かれている。

「祖国は社会主義建設事業のあらゆる面で空前の大躍進のさ中にある。」『萌芽』は「労農兵の中に深く入り、広範な大衆によりよく奉仕するために」これまでのとりくみに加えて「〃牆頭文藝〃欄を新たに設けた。」「この欄はあいつぐ革命闘争の時期の古い解放区の文芸を広める伝統を引き継いで、わかりやすい文芸の形式によって当面する各種の政治運動、工場、農村、軍隊の中のさまざまな新しい人、新しいこと、新しい傾向をすばやく反映する。」

この記述から大躍進という時代を描き、その運動を推進するという目的でこの欄が設けられたことがわかる。

これ以後〝牆頭文藝〟欄は、同年の第十六期まで十期つづく。第十七期からこの欄はなくなったが、その代わりに小小説の掲載は増えている。『萌芽』の小小説の掲載数の最も多かった月は、九月と十月である。以後小小説の数は減り、第二十二期（十一月十六日）、第二十三期（十二月一日）、五九年の第一期（一月一日）、第三期（二月一日）には掲載されていない。五九年第六期に〝牆頭文藝〟欄は復活し、第八期にはそれを歓迎する読者の声も寄せられているが、わずか四期つづいただけで、第一〇期（五月十六日）から再びこの欄はなくなり、同時に小小説も紙面から姿を消している。

全体としての小小説の盛衰は、『萌芽』誌とよく似た状況にあった。私が調べた十四種の新聞雑誌[2)]の小小説の掲載数は、五八年七月、八月、九月と増えつづけ、十月にピークに達したあと、五八年末までその盛況がつづいたことを示している。五九年に入ると作品数は減りはじめ、退潮に入ったことがわかる。

雑誌『人民文学』五九年二月号に「短篇小説的豊収和創作上的幾個問題」と題する茅盾の評論が載った。この評論の一章は五八年に書かれた小小説についての総括に当てられ、「一鳴驚人的小小説」という題がつけられていた。その小小説を論じた章と茅盾がとり上げて評価した九篇の小小説が合わせて『北方文学』五月号に転載された。これらの掲載は小小説の発展を促すためであったと思われる。

茅盾のこの評論は小小説を〝自ずと個性をもった新しい品種〟と規定し、短篇小説とは異なる新しいジャンルの成立のために一定の役割を果たした。しかし、皮肉なことに、この評論が発表されて以後、小小説を掲載する雑誌は減りはじめ、やがて小小説そのものが殆どの雑誌の紙面から姿を消していったのである。日本の大正末年のコント流行の時、結果的に流行を締めくくることになった川端康成の評論「掌篇小説の流行」の果たした役割とよく似ていて、興味深い。筆者の意図と結果のくいちがいである。

以上に見たことからも小小説創作のピークは、五八年後半から五九年かけてであったと言えるだろう。

この時期を含め他の雑誌と異なる動きを示したのが、『新港』（中国作家協会天津分会発行）である。同誌は他誌にさきがけていち早く老舎の「多写小小説」を掲載し、老舎自身の小小説「電話」（同誌六月号）も載せて、この形式に対する関心を示したが、大躍進中の五八、五九の両年は、五八年十一月に四篇の小小説を掲載しただけであった。ところが小小説に対する熱狂が去って、他の雑誌があまり小小説を載せなくなった一九六一年九、十月合刊号に至って、ようやく小小説の欄を特設し、以後毎号三篇づつの作品を掲載するのである。評論もときおり掲載し、一九六二年四月号には新時期の微型小説関係の評論にもしばしば引用される旧ソ連のアレクセイ・トルストイの「甚麼是小小説」（小小説とは何か）の翻訳も載せている。小小説を一時の流行に終わらせず、新しいジャンルとして育てるために独特の役割を果たした雑誌である。

2、時代の産物としての小小説

小小説が大躍進という時代の要請から生まれた形式であることは、当時の評論が一致して指摘するところである。それをふまえて茅盾は次のように総括している。

一日が二十年に匹敵する工農業生産と文化建設の飛躍的な発展、時々刻々現れる奇蹟、数えきれない位の新しい人、新しい出来事は、どれも時を移さず迅速に文学に描かれることを求めている。〝小小説〟はこの任務を担いはじめたのである。[3)]

大躍進の実態が明らかになった今読むと、「一日が二十年に匹敵する……」という当時のきまり文句の空疎さに違和感を覚えるが、大躍進のさ中に書かれたこの評論が、大躍進を肯定し、それを賛美する立場に立っているのは、歴史的制約として認めるほかない。ここでは小小説が時代の要請にこたえて書かれたものであったことを確認できればよい。

小小説のような短い形式を求めた当時の事情は、どういう点にあったか。

ひとつには忙しい時は短いものしか読めないからである。当時の忙しさは一般に忙しいという言葉から想像される程度のものではなかった。次のような証言もある。

体力の限界を越すかと思える位の重労働と睡眠時間の中で黙々として指導者の指示に従った。しかもそれが当然と思い込んでいた。一切は工業と農業の急速な発展のために行われ、一切の福祉や衛生、健康を無視したと言える。[4]
こういう極限に近い状況が日常的につづく中では〝短いものを〟という要求は、当然強かったと思われる。ある評論はこう述べている。
読者の側から言うと、みな仕事が忙しいため、長篇の大作を読みたいと思っても、残念ながら時間がない。ところが小小説はふつう一、二千字にすぎないから、数分で読み終われる。これは当然読者の歓迎するところとなる。[5]
もうひとつは当時の読者のレベルには短いものがちょうど合っていたからである。たとえば『萌芽』は、〝牆頭文藝〟欄の読者として〝小学校卒業程度の学力〟の労働者、農民、兵士を想定していた。『北方』が〝牆頭小説〟という欄を設けた時、読者についてこう考えていたことは、先に見たとおりである。
文盲一掃後、労働者、農民は語り物を聞きたいと思うだけでなく、小説も読んでみたいと思っている。しかし時間があまりないので、短い時間に読み終われる小さな作品を読みたがっている。[6]

別の評論でも「大衆の創作を論ずる時、多くの働く人びとは全国的な規模の文盲一掃運動が展開されたあと、ようやく文盲状態から解放されたということを忘れてはならない。」[7]と指摘されている。この読者のレベルも当時の中国に特有の事情の一つであったといえるだろう。

三つめに短い形式は一般大衆にもとりくみ易いものだから、ということもあった。当時の評論の一つはこう述べている。

「書くことを学びはじめた人は、小小説をたくさん読むべきだ。小小説はストーリーが複雑でなく、人物も多くないので、始めての人にも比較的容易に習熟できるからだ。」[8]

同じような指摘はほかにも数多く見受けられるが、茅盾はそれらをまとめる形でこう述べている。

小小説の作者は、大部分がアマチュアであり、はじめて小説を書いた人である。小小説は大衆的文芸運動の中で大衆の余暇に適した文学形式の一つである。[9]

管見のかぎりでは、当時著名な作家で小小説を書いているのは、老舎と巴金だけである。多少名を知られた人として馮健男、馮金堂、吉学霈、胡万春などがいる。万国儒はこの時「踩電鈴」を書いて登場した新人である。茅盾の指摘のとおり小小説の作者は大部分がはじめて小説を書いた人びとだったのである。

調べた範囲で同じ雑誌に作品を二度以上発表している人がかなりいる。『萌芽』では郭澄清、牛朴、張恵銘、陸卉、『作品』では余方、劉其献、黄首国、林勤、馬新、翁幼之、『安徽文学』では徐大保、金波、『奔流』では段荃法などの人たちである。これらの小小説の作者の中から新しい作家が育つようにという配慮があったのではないか、と思われる。段荃法は作品集『雪英学炊』[10]を五九年に出版している。茅盾の次の言葉は一般大衆が小小説の創作にとりくむようになることへの期待を表明したものであろう。

労働人民はもともと物語を語る才能をもっており、文盲一掃運動の進展にともなって、〝小小説〟が詩と同じように一般のものとなるのも遠い先のことではないだろう。[11]

日本の大正末年のコント流行の時、川端康成がこれとほとんど同じ期待を表明しているのは、興味深いことである。

3、小小説に描かれた内容

小小説に描かれた内容は基本的に大躍進を謳歌するものだった。茅盾はこう概括している。

これらの作品は総路線のはげましをうけて働く人びとの満ちあふれる意欲が生産及び中心的な任務と密接に結びついている様子を描き出している。これらの作品はいずれも革命的ロマンチシズムの光を放ち、力強いタッチで生産戦線における新しい人物の姿をくっきりと描き、彼らの共産主義的思想性を表現している[12]。

主人公に着目すると、さまざまな契機によっておくれた思想から抜け出し、変化する人びとを描いた作品とすぐれた人物の共産主義的風格を正面から描いた作品の二種類に分けられる、と茅盾は述べている。

前者の作品は「誰是那〝百分之十〟?」(「誰がその〝十パーセント〟か?」)、「踩電鈴」(「ベルといっしょ」)、「塾道」(「道に敷く」)、「拆炕」(「オンドルを壊す」)、「門板」(「ドアの板」)、「暴風」などで、それぞれ「仕事に対する消極性」、「自分の所有するものを惜しむ利己主義」、「何かと縁起をかつぐ迷信的傾向」、「集団の仕事で自分の担当することにしか責任をもたないセクト主義」というようなおくれた思想から抜け出る人びとを描いている。後者は「〝師徒公司〟」(「師弟会社」)、「社長的頭髪」、「敢想敢為的人」(「アイディア断行の人」)などで、それぞれ「次々に持ち込まれる技術上の問題を解決するために徹夜で仕事にとりくむ老若二人の労働者と彼らを支えるたくさんの人びと」、「自分たちの合作社に将来美容院を開きたいという夢をもっているのに自分は整髪する暇もなく仕事に奔走する社長」、「軍艦旗を国産の羊毛で作るため技術上の難題にねばり強くとりくみ、遂に成功する労働者」というような人びとを描いている。茅盾がとり上げ、それぞれにかなり高い評価を与えたこれらの作品は、いずれも〝大躍進〟の時代を肯定的に描いた作品である。

当時の評論の指摘する二大テーマは、鉄鋼生産(全民大搞鋼鉄)と人民公社であった。鉄鋼の生産目標を達成するために土法高炉による鉄づくりにとりくむ農民たちの姿が、多くの作品に描かれている。人民公社の公共食堂も婦人の家事労働からの解放という大義名分の下きわめて肯定的に描かれている。結果的に使いものにならない屑鉄の山を造り出して終わった鉄づくり運動とやがてすたれた公共食堂に対する疑問や批判の影さえ当時の作品には見られないが、これは当時にあっては当然のことであった、と見るべきである。

「〝大躍進〟は党の実事求是の伝統と作風を破壊し、党と国家の民主主義的生活を損ない、その後の社会主義建設に重大な損害を与えた[13)]。」とある本で総括されているように、現在では大躍進を肯定的に評価する視点は、ほとんどないと思われる。

4、中国での当時の小小説の評価

一九五〇年代末の小小説をいま中国ではどう見ているのであろうか。一、二見てみよう。

全国解放後、一九五〇、六〇年代に多くの新聞雑誌は〝小小説〟、〝千字小説〟、或いは〝一分間小説〟などの特別の欄を設け、〝短いカット〟という形式ですばやく、時を移さずに現実の生活を描き、強い現実感と時代性を感じさせた。短篇小説は小説の中の軽騎兵であり、小小説はこの軽騎兵の中の先頭に立つ兵にほかならない、と譬えた人がある。茅盾は〝現れてはたちまち名を轟かせた小小説〟と、この種の小説を熱心に称賛した[14)]。

これは新時期の微型小説についてすぐれた評論を書き、創作と研究をリードしてきた江曾培が最初に書いた評論の一節である。これによると、当時小小説という名称のほかに千字小説、一分間小説という呼び名があったことが分かる。一分間小説（一分鐘小説）は『北京晩報』が用いた名称である。次のものはここ十年微型小説に関する研究を精力的にすすめている劉海濤が最初の著書で示した見解である。

新中国成立後の一九五〇、六〇年代は、社会主義革命と社会主義建設の大きな高まりの時であった。労農兵の作者が数多く文壇に登場するとともに微型小説はふたたび熱心に提唱されるようになった。当時次のように指摘した研究者があった。〃私たちは今まさに高らかに歌い勇ましく前進する時代にある。このような時代の生活は作者をつき動かし、無数の大衆を励ましている。こうして高揚した感情は表現されることを求め、そこで時代の気概をそなえた民歌が生まれた。生活を賛美する特写（ルポルタージュ）がいちだんと増えた。さらにもう一つ時運に応じて現れたのが小小説である……小小説は私たちの時代が生み出したものと言うことができる。〃 これは当時の微型小説の創作熱の背景に対する当を得た分析である。[15)]

江曾培、劉海濤のこの見解は、ニュアンスに強弱の違いはあるが、いずれもこの時期の小小説を肯定的に評価する立場で書かれている。劉海濤はその後に書いた著書では、次のようにその見解を発展させている。

微型小説の三度目の〝興隆〟は、建国後の一九五〇年代末、六〇年代はじめのことである。当時は社会主義革命と社会主義建設のまさに高揚期にあった。現実の生活に絶えず新しい人新しい事が現れ、労農兵の作者が多数つぎつぎに文壇に登場した。生活と創作はともに人びとに、社会主義の小説創作はいかにすばやく全面的に新しい生活を描くのか、社会主義の文学創作は結局のところどのように労農兵に奉仕すべきであるのか、という最も新しい問題をつきつけた。こうした歴史的背景の中で微型小説が再び時運に応じて現れたのは、生活と芸術の必然であった。文壇に久しく盛名を馳せた作家老舎が先頭をきって微型小説の創作を呼びかけ、老作家巴金が微型小説『小妹編歌』を書いて老舎の呼びかけに真っ先に答えて以後、微型小説の創作熱は急速にとぎれることなく全国各地に波及していった。一九五八年から湖北省作家協会発行の雑誌『長江文藝』、天津作家協会発行の『新港』は、それぞれ微型小説の専用の欄を設けた。各地の新聞の文芸副刊もそのための場をつくり、微型小説の作品をしばしば発表した。完全な統計ではないが、五〇年代末、六〇年代はじめに省レベルの一〇近い出版社が、微型小説選集を編集出版している。勢いのすさまじい、参加者数の膨大な、影響範囲の広い、この微型小説創作のうねりを前にして、文壇の巨匠茅盾も〝現れてたちまち名を轟かせた小小説〟(「一鳴驚人的小小説」)という評論を書いて、澎湃としてわき起こったこの微型小説の創作を理論的に総括した。しかし、その後の文壇の情勢の急変(文革の勃発)のため、またこの時期の微型小説の創作がいちだんと〝ニュースルポルタージュ的〟な色あいを帯びていたため、この形式に自らの実体を認識させるに至らず、発展の過程で自らの芸術的軌道からはずれて、遂には退潮に陥ったのである[16]。

前著の記述と比べると、この時期の小小説をめぐる状況に対して劉海濤の認識の広がりを示す内容となっている。押さえるべき点はひとまず洩れなく押さえられており、中国における研究の一つの到達点と見てよいと思う。しかし、いくつか異論がないわけではない。その一つは大躍進の時期を「社会主義革命と社会主義建設の高揚期」と肯定的な言葉で規定していることである。ここでは当然現在の視点に立って大躍進の時代を批判的にとらえなおすということをしなければならないはずである。当時の言葉をそのまま使って時代を規定するというのは、安易な姿勢と言わなければならない。もう一つは単純な事実誤認である。『長江文藝』に小小説という欄が設けられたのは、たしかに一九五八年のことであるが、『新港』に小小説の欄が出来るのは、前に述べたように一九六一年以後のことである。さらにもう一点、これも先に述べたことだが、小小説の創作熱は一九五九年の半ば頃には既に下火になっているので、六〇年代はじめまでを〝興隆〟期とするのは、事実と合わない。この三点を別にすれば、簡にして要を得た概括と言ってよいだろう。

5、小小説という形式について

ここでは一九五〇年代末の小小説をめぐる論議の中で当時小小説という形式について、何がどこまで明らかにされたのか、定義、技法の二点から見ておくことにする。

管見のかぎりでも当時、作品評も含めれば、五十篇前後の評論が書かれている。形式の特徴についてもさまざまに論じられているが、その後の小小説の創作に最も大きな影響を与えたのは、茅盾の次の規定だった。

〝小小説〟という名称で各種の新聞雑誌によく現れる二千字位の作品は、驚くような輝きを放っている。……これらの作品が〝小小説〟という名を得たのは、偶然ではない。これらは短く引き締まっているだけではない。これらはさらに特写（主として実際の人物実際の出来事を描く対象としていることを認めるならば）と短篇小説（概括を基本的な方法としていることを否定しないならば）の特徴を結合して、自ずと個性をもった新しい品種となっているからである。[17]

二千字位の長さのルポルタージュの性格をもつ短篇小説、これが当時の小小説作品から帰納して茅盾が導き出した定義である。当時書かれた小小説の特徴を正確にとらえたすぐれた定義であるが、この定義がその後の小小説の性格を規定し、小小説作品の多くがこのワクの中に長い間止まる結果を招いた感がなくもない。ワクとは特写（ルポルタージュ）の性格をもつ、とした点である。

後に劉海濤が「この時期の微型小説の創作がいっそう〝ニュースルポルタージュ的な〟色あ

いを帯びたため、この形式に自らの実体を認識させるに至らず、発展の過程で自らの芸術的軌道からはずれた」と指摘しているのは、この点を指してのことである。

一方、〝自ずと個性をもった新しい品種〟という規定がジャンル成立のために一定の役割を果たしたことは確かである。ある文学辞典の次の記述はそれを示すものであろう。

小小説は以前にもあったが、短篇小説の中にまとめられていた。一九五八年に小小説が大量に現れてから、〝自ずと個性をもった新しい品種〟であると認めた人があって、別の一種として分類されるようになった[18]。

小小説を歴史の文脈の中に位置づけようとした、次のような指摘が当時あったことをつけ加えておきたい。

小小説は今日はじめて存在するようになったものではない。魯迅、チェーホフも書いたことがあった。例えば『一件小事』『宝貝』などである。この点から言えば小小説は何も新しいものではなく、以前から存在したのである。ただ過去には量が少なかったが、今は多い。この点から言えば、これは一つに新しい現象とも言える[19]。

同じ趣旨の指摘は別の評論にも見える。

茅盾は特写の性格をもつ短篇小説という規定を敷衍した箇所で、次のように技法にも言及している。

其の一、〝小小説〟のストーリーはごく簡単で、場合によってはストーリーもなく、或る状況における人間の行動の一こまにすぎないものでもよい。其の二、しかし、このような〝カット〟によってはじめて人間の風貌と心のあり方がくっきりと描き出されるのである。[20]

技法については、他の評論でもいくつかの角度からさまざまに言及されている。題材とその切りとり方については、「生活の中の一つの断片、一つの側面、一人の人、一つの出来事は、どれも小小説に書いてよい」[21]という指摘や「小小説はただ生活の中の一つの側面を集中的に描き、勢いよく流れる生活の中の一つの断片を描けばよい」[22]というような指摘がある。

テーマ、構成に関しては「小小説のテーマは単純で、一点をきわ立たせ、構成上はずばり本題に入るべきだ」[23]とか、或いは「小小説は構成が緊密で、言葉が精錬されている必要がある。繁雑な描写、冗長な説明は小小説の創作に適さない」[24]というように述べられている。

ストーリーについては「小小説のストーリーは可能なかぎり波瀾に富んだものであることが必要だが、その他の小説より小小説のストーリーは簡単でなければならない」[25]或いは「ストーリーは頭も尻尾もなくてもちろんかまわないし、頭や尻尾があってもよい」[26]というように指摘されている。

人物の描き方、ストーリーの展開の仕方については「小小説は短いから、いろいろな面から人物を描いたり、ストーリーを思い切り展開するのは難しい。だから全面的であることを求める必要はなく、単純、明快であるよう注意すべきだ。[27]」と述べている。

作品に余韻をもたせるよう言外の意を強調した指摘もある。こう書かれている。

作品は言葉が終わっても、気持ちが残るようにし、杜甫が〝詩罷地有餘、篇終語清省〟（詩やみて地余りあり、篇終わりて語清省なり）と言っているように、読者に想像する余地を残し、読者のより多くの連想と反復する深い思いを引き出すようにすべきである。[28]

以上の技法に関する指摘は小小説への理解を深め、そのジャンルとしての基礎を固めるのに寄与したと思われる。

一九五〇年代末の小小説の盛衰と若干の特徴を見てきたが、この時期の小小説は三〇、四〇年代の牆頭小説の、新たな時代における再生と発展であった。五八年後半から五九年にかけて大量に書かれ、それによってジャンルとしての確立を見た。この時の小小説の性格をその作品から帰納して明らかにしたのが、茅盾である。短期間の盛衰のあと、小小説はその後も『新港』などいくつかの雑誌に発表の場を得たが、それは短篇とは異なる新たなジャンルとして認知されたからである。

大躍進を謳歌する立場から書かれた五〇年代末の小小説は、描かれた内容という点では歴史的な制約をもった特異なものと言わざるをえないが、しかしこの時に一つの新しいジャンルとしての認知がなされたこと、またこの時期になされた方法上の探求は現在の微型小説に引き継がれてその基礎となっていることは、ここで確認してよいことである。

第二節　戦後の日本のショートショート

短い小説の名称の中で戦後まで生き残ったのは、掌篇小説とコントである。一九五〇年代の終わり（昭和三十年代の半ば）頃に、コントにとって代わる形で新たに出来た名称がショートショートである。ショートショートという名称は、調べてみると実にさりげない形で登場している。

『エラリークイーンズミステリーマガジン』昭和三十四年（一九五九年）一月号に掲載されたフレドリック・ブラウンの「模範的殺人法」（The Perfect Crime）の解題「舶来小咄由来」というコラムに、こう書かれている。

本篇はまるっきり落語の味をもった軽妙なコントである。……こうしたごく短い作品を、アメリカではショート・ショートと呼んでいる。ショート・ストーリィより、もっとショートなストーリィというわけだ。向こうの雑誌で、挿絵を入れて見ひらき2ページにおさまる長さである。……しかし、短いだけにショート・ショートの傑作を書くのは難しく、なまじっかな短篇を書くより、技術的な苦労は多いのである。

同じ号にもう一篇短い小説が載っていて、〝編集ノート〟には、こう書かれている。

「ブラウンやオサリヴァンのものなど、2ページの気のきいたショート・ショートもとりあげてみました。今後もこうした小粒ながらピリッとしたものを、どんどん掲載していきたいと思っています。」

筆者はいずれも、同誌の編集長都築道夫である。

ショート・ショートという名称が、活字になったのは多分これが最初である。というのは、この前号の同誌昭和三十三年（一九五八年）十二月号に、同じフレドリック・ブラウンの「タイム・マシン第一号」(First Time Machine)という短い作品が掲載されているが、〝編集ノート〟では、次のようにまだコントという従来からの用語しか使われていないからである。こう書かれていた。

科学小説を2篇のせてみました。……ブラウンのものは、……純然たるS・Fコントです。ブラウンはこういう翻訳して400字詰原稿用紙四、五枚のきのきいたコントを、たくさん書いています。本誌に載せると、ちょうど見開き2ページ。おなじ長さのブラウンのコントは（ただしS・Fではない）まだ2つあるので、引きつづき紹介していきたいと思います。

十二月号編集の時点では、ショート・ショートという言葉を使う予定は、まだなかったのであろう。一月号以後同誌には、毎号のようにショート・ショートの翻訳が載り、編集部による作品解説のコラム等で〝ショート・ショート〟という名称が、ごく当たり前のように使われるようになる。また、同誌はコラムで、アメリカのショート・ショートに関する情報もこまめに提供し、ショート・ショートの書き方を連載したりもしている。

半年余り後の昭和三十四年（一九五九年）八月に創刊された『ヒッチコックマガジン』では、すでに自明の用語としてショート・ショートという言葉が使われている。同誌九月号の「ヘンリー・スレッサー紹介」で、同誌編集長中原弓彦（小林信彦）は、「スレッサーの本邦紹介第二作は『E・Q・M・M』（『エラリィクイーンズミステリーマガジン』の略称――引用者）の昨年八月号にのった『殺人狂』というショート・ショートだが、これは大したものではない。……さて、五つめに紹介されたのが、『E・Q・M・M』三月号にのった『老人』だが、これも、ショート・ショートで大したことはない。」というように使っている。

昭和三十二年（一九五七年）「セキストラ」で注目された星新一は、雑誌『宝石』に「ボッコちゃん」（昭和三十三年五月号）、「おーいでてこーい」（同十月号）、「廃墟」（昭和三十四年八月号）などの短いすぐれた作品を発表して、作家としての地歩を固めつつあったが、これらの作品は、それぞれ〝科学小品〟〝科学ファンタジー〟〝ファンタジー掌篇〟などと呼ばれていて、名称は一定しなかった。

『宝石』が、日本の作家のショート・ショートと銘打った作品を何篇かづつ載せはじめるのは、昭和三十五年（一九六〇年）一月号からである。同時に星新一の作品も毎号一篇づつ載るようになる。ここで星新一とショート・ショートが結びつくのである。

『ヒッチコックマガジン』は、昭和三十五年（一九六〇年）一月に、ショート・ショートの特集をおこなったあと、七月号から星新一のショート・ショートの連載をはじめている。八月号では「日米ショート・ショート特集」を組み、そのまえがきにはこう書かれている。

最近、とみに流行のショート・ショートすなわち、日本の原稿用紙にして5—10枚程度の超短篇小説のことですが、発想は自ら短篇とはことなったものである筈です。

ここにならべましたのは、いずれも、その典型的なもので、ヴェテラン中のヴェテラン、ブラウン、新進のリッチー、日本側のヴェテラン星新一、それに二人の新人を加えてのショート・ショート特集、各自、得意の技を競いますれば、読者、消閑の一助ともならば、さいわい……

星新一はすでにヴェテランとなっている。ここで〝超短篇小説〟という言葉がショートショートと同じ意味で使われていることに注目しておきたい。

『ヒッチコックマガジン』の特集は十月号、十二月号と組まれ、翌昭和三十六年一月号からは日本の作家のショートショートが三乃至四篇ずつ載るようになる。三十五年九月号から四回連載で「ショート・ショート作法」（中原弓彦）が掲載された。軽妙な筆致で書かれたこのショートショート論は、アメリカにおけるショートショートの三原則を紹介した、この時期の代表的な評論である。

こうして名称が生まれて二年後には、「ショート・ショートは、目下大流行の観があ」る[29]、という状況を迎えている。

昭和三十六年（一九六一年）七月に発行された『別冊宝石』一〇七号―ショート・ショートのすべて―は、ショートショート特集号である。江戸川乱歩、城昌幸という長老の他にその時までにショートショートの書き手として認められていた星新一、都築道夫、山川方夫、結城昌治、筒井康隆、眉村卓、樹下太郎、河野典生、そして詩人谷川俊太郎などの作品が並んでいる。英米の作品では、O・ヘンリィ、サキにはじまってジョン・コリア、レイ・ブラッドベリィ、ベネット・サーフ、フレドリック・ブラウンのものなどが収められ、フランスのものではG・アポリネール、モーリス・ルヴェルの作品が掲載されている。

評論は『ヒッチコックマガジン』に連載された中原弓彦「ショート・ショート作法」が再録され、他に大原寿人「あなたもショート・ショートが書ける」、稲葉由紀「ショート・ショート亡国論」の計三篇が載っている。

それに山川方夫、星新一、都築道夫による座談会「ショート・ショートのすべて〝その本質とは？〟」がある。この座談会では、ショート・ショートという形式の特徴と本質、東西のショート・ショートの名手、名作の評価、実作者としての創作体験にもとづくショートショート論などが、縦横に論じられていて、豊かな情報を提供してくれている。

流行はこのあともしばらくつづき、多くの書き手が登場してくるが、昭和三十八年（一九六三年）の『ヒッチコックマガジン』の停刊の前後から退潮に入ったと見てよいだろう。この時の流行の中で新しいジャンルとしての認知をうけ、ショートショートは、エンターテインメントの分野で一定の市民権を得たと言ってよいだろう。

後年、自身ショートショートの名手であった山口瞳は、ショートショート論を書いた時、こう述べている。

「いまでは、ショートショートは、大衆文学の新人が文壇に登場するための、ひとつの足がかりになっている感がある。[30]」

ショートショートには、コント、掌篇小説という先行の形式があったのと、アメリカのショートショート作品というモデルとそれに付随する理論があったことで、一から論議をはじめる必要がなかったためか、大正の終わりのコント流行の時の岡田三郎や川端康成のように、一人で何篇も評論を書いた人はいなかった。しかし、理論の上でコント論議にはなかった点が、いくつか明らかにされている。

中原弓彦「ショート・ショート作法」によって、それを見ることにしよう。中原はアメリカのショートショートの研究家ロバート・オーバーファーストの論をもとに、ショートショートの書き方を説いている。

まず定義をこう紹介している。

「ショート・ショートとは、短篇小説に必須のあらゆる技術と、完全な手腕を必要とするのみならず、更に凝縮と抑制を要するものである。」「ショート・ショートとは、約一五〇〇語の中に短篇小説固有のすべての劇《ドラマ》を包含したものである。」

この定義は、作品の長さを数字で示した以外はとくに新しいところはない。中原の計算では、一五〇〇語は、四百字詰原稿用紙で約十枚になるらしい。

次に、所謂ショートショートの三原則、「完全なプロット、新鮮なアイディア、意外な結末」が紹介されているが、ショートショートというジャンルの特徴をこの三点から説明するところが、具体的で、大正末のコント論議にはなかった点である。

プロットについて指摘されているのは、「導入部が長すぎて叙述的すぎ」てはダメだということ、「物語の中の一つのアネクドートに深入り」してはいけないということ、の二点である。

アイデアのポイントは、その新しさ「新奇さ」にあることが強調されている。具体的には、「シチュエーションと事件を独創的に選択すること」「日常生活の中の一寸したオドロキ、ショックを小説に再構成すること」「現実のちょっとした〝変なこと〟こちらの意識にこびりついて離れないこと、神経にひっかかること、こうした日常のささいなことを虫眼鏡で覗くように拡大して短い枚数の中に定着する」こと、ということになる。

「ショート・ショートの最後に不可欠な」な「意外な結末—サプライズド・エンディング」は、「オドロキであると同時に論理的でなければならない」とする。「オチでいいたいことを、全部いわずに、〝暗示〟にとどめて終ることが大切」で、「〝『部分』で『全体』を象徴させてしまう作業〟を行」うとよい、というように、これも具体的である。

「作法」の名のとおり、作品の長さ（枚数）にはじまって、構想のたて方、プロットの作り方、結末のつけ方、描く対象についての示唆など、具体的に論じられている。この評論によって「極く短い小説」というジャンルの特徴がいっそう明らかになった、と言えるだろう。

エンターテインメントの分野で多くのショートショートの書き手が出たのも、ジャンルとしての特徴がはっきりしたことによるところが少なくないと思われる。

中国で小小説が盛んに書かれ、日本でショートショートが流行した時期は、ほぼ同時代と言ってよいが、当時は両国の間には国交さえなく、文化面での交流も殆どなかったので、小小説とショートショートは、相互にまったく関りなく書かれたのである。これは前の時代と異なる点である。

注

1) 老舎「多写小小説」（『新港』一九五八年二、三月合刊号）
2) 十四種の新聞雑誌とは、『萌芽』『新港』『作品』『雨花』『紅岩』『文藝月報』『北京文藝』『北方』（のち『北方文学』）『奔流』『長春』『長江文藝』『安徽文学』『山花』及び『人民日報』である。
3) 茅盾「一鳴驚人的小小説」（『人民文学』一九五八年二月号、『北方文学』一九五八年五月号以外に、茅盾『鼓吹続集』一九六二年十月、作家出版社にも収録、同書一九頁。）
4) 山崎春也「中国体験記」そのⅡ（『中国現代史』下巻、姫田光義他、東京大学出版会、一九八二年七月、六〇〇頁。）
5) 人韋「談小小説」（『長春』一九五八年十二月号）
6) 魯秀珍「讀本期〝牆頭小説〟」（『北方』一九五八年十二月号）
7) 徐明「談小小説」（『人民日報』一九五九年五月二十六日）
8) 馬琰「収穫和提高―讀『長春』上的小小説」（『長春』一九五九年六月号）
9) 茅盾「一鳴驚人的小小説」前出、二七頁―二八頁。
10) 段荃法『雪英学炊』作家出版社、一九五九年。
11) 茅盾「一鳴驚人的小小説」前出、二八頁。
12) 同前、一九頁。
13) 謝春濤『大躍進狂瀾』河南人民出版社、一九九〇年六月、二五六頁。
14) 江曾培「微型小説初論」（『微型小説選』上海文藝出版社、一九八二年十二月、二三四頁。）
15) 劉海濤『微型小説的理論与技巧』中国人民大学出版社、一九九〇年八月、六〇頁。
16) 劉海濤『現代人的小説世界―微型小説寫作藝術論』上海文藝出版社、一九九四年三月、九―一〇頁。
17) 茅盾、前出、一九頁。
18) 『簡明文学知識詞典』甘粛人民出版社、一九八五年刊。
19) 樊西人「略論小小説」（『北方文学』一九五九年五月号）
20) 茅盾、前出、二〇頁。
21) 人韋「談小小説」前出。

22) 王朴「大家来寫小小説」（『奔流』一九五八年十一期）
23) 高鳳「小小説縦横談」（『作品』一九五八年十四期）
24) 馬琰、前出。
25) 朱理章「雑談小小説的寫作」（『北方』一九五八年十二月。）
26) 高鳳、前出。
27) 同前。
28) 同前。
29) 『ヒッチコックマガジン』昭和三十六年一月号、あとがき。
30) 山口瞳「ショートショート論—小説家の業のようなもの」（『酒場のショートショート』サントリークォータリー傑作選、TBSブリタニカ、一九八三年十二月、所収）

第六章　新時期微型小説の成熟

一つの新しいジャンルの発展と成熟を示す指標は、いくつかある。一つには作品の発表の舞台となる雑誌、新聞の掲載状況があり、ふたつには微型小説のコンクールがある。三つ目に著名な作家のこの形式へのとりくみがあり、四つめに微型小説を専門に書く作家が育っているかということがある。また外国の作品や理論の紹介、翻訳があり、アンソロジーの刊行の状況がある。これらについての中国の状況は、すでに第一章で見たので、ここでは作品についてその成熟の度合いを見ることにしたい。しかし、これまでに書かれた厖大な数の作品の中から秀作をとり上げるにしても、何らかの目安がなければならない。

一九八〇年代に入って最初の頃に書かれた二人の研究者の評論は、微型小説の特徴について、こう述べていた。

「微型小説に描かれる人物と事件は、現実の生活との距離がたいへん近いが、これもその内容面での特色の一つである。生活に近いため、すばやく時を移さずに目前の現実の生活の中の矛盾と闘争を描き、時代が前進する足音を聞き、現実感に満ちた同時代性をはっきり示すことができる。」[1]

「〃四つの近代化〃建設中の新しい人物、新しい事物、新しい様相をすばやく描くのに有利である。」[2)]

〃目前の現実の生活の中の矛盾と闘争〃〃四つの近代化建設中の新しい人物、新しい事物、新しい様相〃という言葉から「四つの近代化」という時代性をもつ言葉を取り去ると、この文章は一九五〇年代末の小小説を論じた評論と何ら変わるところはない。いや、一九三〇年代、四〇年代の牆頭小説を論じたものと言っても少しの違和感もないと思う。

八〇年代の初め微型小説が書かれはじめたころの作品は、ここに述べられているようなことを書くことが期待されていたのである。言葉を変えて言えば、微型小説はこういう性格のものと考えられていた、と言える。これは後に劉海濤が一九五〇年代末の小小説を論じた時、その問題点として指摘した〃ニュースルポルタージュ〃（新聞特写化）的性格に近いものである。一九八〇年代の終わりに書かれた孫春旻の評論[3)]ではこれを〃ニュース性〃（新聞性）と呼び、微型小説が〃新聞性〃というきずなからどれだけ脱却しているかを一つの基準にして、その成熟の度合いを見ようとしている。新時期の微型小説は一九五〇年代末の小小説の到達点から出発せざるを得なかったのだから、はじめのうち〃ニュースルポルタージュ〃的な色彩を帯びていたのは、避けられないことであった。新しい時代における発展、成熟を見る時、〃新聞性〃からどれだけ抜け出ているかを基準とするというのは興味深い視点である。これを目安にして見てゆきたいと思う。

孫春旻によれば、成熟の第一段階は一九八三、四年頃になる。蒋子龍の「找帽子」（「レッテ

ル を探せ」)、王蒙の「雄弁症」、汪曾祺の「尾巴」(「尻尾」)、林斤瀾の「木雞」(「ひょっこ」)などの〝佳作〟が書かれて、微型小説は、その〝独特の審美的なしくみと局部の強調によって生み出される、人をハッとさせる力〟をはっきりと示して、〝いかなる長篇の大作でも代替できない〟ような興味を読者に与えるようになった、という。的確な指摘である。

「找帽子」(「レッテルを探せ」)は、右派分子が名誉を回復し、次々に元の職場に復帰してゆくのを見た金流という男が、自分にはられた右派のレッテルをとってもらおうと、奔走するのを描いている。彼は、当時の指導者の勝手な判断で〝右派〟と一緒に農村に送られただけなので、右派の名簿に載っておらず、名誉回復の対象にはならない、という話である。金流が〝私のレッテルはどこ?〟と、呆然と呟くところで作品は終わっている。反右派闘争の時も、今も巾をきかせている官僚主義を批判した作品である。他の評論でも高い評価を与えられている。[4]

「雄弁症」は、人の言葉尻をとらえては攻撃する或る病人の牽強付会な言動を、医師とのやりとりを中心に描いた作品である。とうとうサジを投げた医師が、調べてみたら、この患者はかつて〝梁効〟という執筆グループの一員だったことがわかり、多分その時の後遺症と思われる、と作品は結ばれている。〝梁効〟とは毛沢東夫人江青の指示を受け文革中に猛威をふるった、北京大学と清華大学の学生、教授から成る執筆グループで、〝梁効〟は〝両校〟と音が同じなので、その意味をかけたペンネームである。文革中の造反派の言動が、患者の言葉に再現されていて、中国の読者には何を批判した作品か、一目でわかるようになっている。これもいろいろな評論でとり上げられている作品である。[5]

「尾巴」(「尻尾」)は、ある工場で一人の技師の技師長への昇格を、その人の出身(階級)を理由にやみくもに反対する頑迷な保守派を皮肉った作品である。議論が対立して行き詰まった時、いつも面白い話をして局面を打開してくれる年配者が、その時次のような話をした。川の辺に泊まったら、夜中に魚たちが泣く声が聞こえてきたので、訳を聞くと、龍王が尻尾の有るものは皆殺しにするからだ、という。その傍らでガマ蛙も泣いているので、わけを聞くと、オタマジャクシだった頃のことを調べられるのが恐くて泣いている、というのであった。作品はこの譬え話で終わっている。これも文革中の〝血統論〟の後遺症を批判した作品である。この作品もいろいろなアンソロジーに収められている。[6]

「木雛」(「ひょっこ」)は、農村に下放した、愚直で不器用な或る学者の、二十年前と現在とを対比して描いている。現在この学者の愚直さは、一見痴呆に近くなっている。いつも口をあけ、よだれを流しているが、農民の信頼は厚い。〝病気なんだ。造反学生に口に一発食らったためだよ〟という農民のひと言を示して、学者、知識人が迫害された文革の時代を批判した作品である。この作品も諸種のアンソロジーに収められている。[7]

これらの作品に対して、「同じ政治的色彩を帯びていて、まだ〝新聞性〟というきずなから、完全には脱却しえていないようである」と、孫春旻は不満を述べている。しかし、文革批判、官僚主義批判は、これらの作品を成り立たせている核心であり、むしろ優れた特徴と言った方がよい。作品のもつ政治性自体は、所謂〝ニュースルポルタジュ〟的色あいとは必ずしも一致するとは限らず、これを一概に批判するのは正しくない。〝新聞性〟からの脱却を成熟と見る視点は、次に見るような作品を評価する時は有効であるが、そうでない場合には作品に描かれた内容と作品として成功しているかどうかを慎重に見定めることが必要である。

なお、この時期は先に著名な作家たちが、新しいジャンルに関心を寄せ、すぐれた作品を書いて、このジャンルのもつ可能性を明らかにしたことが発展を促す力となった、と述べた時期に相当する。劉心武「新豆汁記」、航鷹「地毯」（「絨毯」）、周克芹「断代」（「一代かぎり」）、史鉄生「秋天的懐念」（「秋の思い」）、馮驥才「胖子和痩子」（「デブとヤセ」）、房樹民「泥人形」）などもこの時期に書かれたすぐれた作品である。

成熟の第二の段階は、一連の〝上乗の作〟が現れて、〝微型小説の題材の範囲を大きく拡げ、その構想と表現の方法を豊かにした〟と言われる一九八六年頃である。この時現れた作品を、孫春旻は四つに分類している。どういう作品が、どう評価されているかをまず見、次にそれぞれから作品をひとつづつ選んで、その内容を紹介することにする。

一つ目は、張衛明の「児子睡中間」（「息子を間に」）、張林の「我生活的故事」（「我が生活の物語」）、馬宝康の「遠客」（「遠来の客」）であるが、これらは〝作者のすぐれた文章によって、妙趣あふれ、笑いを禁じえないものがあり、さらに高尚な情操と純潔な魂の輝きに満ち、深い感動を与える〟作品と評価されている。

「我生活的故事」を見てみよう。これは「酔帰」（「酔って帰る」）、「無趣」（「無趣味」）、「戒烟」（「禁煙」）という三つの作品からなる連作である。主要な登場人物は、「私」と妻と二人の娘である。酒、ダンス、タバコをそれぞれの作品の軸にして、三人の家族との日常のやりとりを中年男の「私」の目から描いている。平凡な都市生活者である「私」の身辺のことが、やや喜劇的に描かれている。酒場の常連の酒の飲み方の描写、ひと昔前始めてダンスを習った時マスクをかけ手袋をはめて現れた女たちの姿、禁煙したものの家族にかくれてトイレで吸い、ばれてしまう話などが作品に現実感を与えている。描き方に身構えた所がなく、政治的なものを全く感じさせないという点では、それまでにほとんど描かれることのなかったタイプの作品である。微苦笑を誘う日常の生活を描いて、しみじみとした気分にひたらせてくれる。

二つ目は、呂品の「迷途」(「道に迷う」)、祝興義の「那辺、第十一病区」(「向こうの、第十一病棟」)、邵宝健の「永遠的門」(「開かずの扉」)、路東之の「……」、楊東明の「混濁」などである。〝倫理的角度から生活を切りとり、その思想と道徳の感化力には、ただならぬものがある〟と評価されている「那辺、第十一病区」をとり上げる。

この作品は、重症患者を収容する伝染病病棟での、若い献身的な看護婦と二人の若い患者のかかわりを描いている。女友達に裏切られた経験をもつ患者の一人は、臨終の苦痛の凄じさを見せて、若い看護婦にショックを与える。もう一人は、未だ男女の愛を知らないが、ショックを受けた看護婦へのいたわりから、彼女が当直に当たっている夜には死なないことを誓い、その約束通り翌日になって息をひきとる。その死顔は安らかだった、というものである。死んでゆく二人の重症患者の臨終の違いに焦点をあて、人間のやさしさ、愛について考えさせる、これも新しい題材の作品である。

三つ目は、李本深の「荒村之奠」(「寒村のお供え」)、孫方友の「捉鼈大王」(スッポン捕りの名人」）、葉大春「岳跛子」（「びっこの岳」）である。民族的な闘いは、〝微型小説で描くにはなじまない題材〟であるが、これらの作品は〝この題材を巧みに使いこなしていて、新鮮な感じを与えてくれる〟と評価されている。

「岳跛子」は、性的不能のため妻に浮気されても黙って我慢している靴職人が、日本兵に犯されかけた妻を助けるため、仕事用の錐で相手を刺し殺す話である。この靴直しは講談を語るのが好きで、岳飛の話を十八番にしている。「オレは岳飛の第四十代の子孫なるぞ」と見得をきったとたん、「岳飛の子孫が女房を寝取られるのか」と半畳を入れられて、あぶら汗を流して、寝込んでしまう男である。間男の大工は逞しい身体をしているが、日本兵に犯されかかった浮気の相手が助けを求めると、こそこそと隠れてしまう。女房は亭主に助けを求めることさえしないのである。日本兵にも妻にも無視された男は屈辱に耐えかねて、ふるえながら錐で日本兵をめった突きにしてまう。男が日本軍のシェパードに噛み殺されたあと、村人は盛大な野辺送りをしてやり、石碑に「岳飛第四十代の子孫」と刻む。主人公がおよそ〝英雄〟とはかけ離れた人物であるところに、この作品のふしぎなリアリティがある。そこがこの作品の新しいところでもある。

四つ目は、周志琦の「塘辺」（「ため池の辺」）と李志海の「老莫的星期天」（「莫さんの日曜日」）である。〝政治状況と密接に結びついた作品にも発展があり、新聞性という感じは減って、芸術的な質が強化された〟力作という評価が与えられている。構想と表現の点でも、従来の微型小説を一歩こえる工夫が見られる、とも評価されている。

「塘辺」は、他人の養魚池で釣りをしている「私」が、もち主に見つかって勤め先を追及されるところからはじまる。合肥訛りで〝江淮儀表廠〟と答えると、相手は〝魚養場〟と聞き違える。取り上げられた魚を返してくれ、逆にいい稚魚をまわしてくれないか、と頼まれる。聞き間違いによるこの誤解をめぐって話は展開され、最後に誤解もとけるが、相手はそれでも魚をくれ、立ち去る、という話である。作家劉心武は、うまい作品と評価している。[8]

孫春旻は、第三の段階として、一九八八年に発表された曹乃謙の「到黒夜我想你没辦法」(「真夜中にはあなたはどうしょうもないと思う」[9])という一風変わった題の作品に絶賛に近い賛辞を送っている。〝同じ頃現れた優れた長篇、中篇、短篇のどれと比べても、少しの遜色もない〟とまで評価している。

「到黒夜我想你没辦法」は、「親家」(「親戚」)、「女人」(「妻」)、「愣二瘋了」(「愣二は気がふれた」)、「莜麦秸窩里」(「ソバの茎の塒で」)、「鍋扣大爺」(「鍋扣おじさん」)の五篇からなる連作掌篇である。一つひとつの作品はどれも生活の一断片を描いたに過ぎないが、描かれた生活の特異さと素朴で簡潔な叙述に驚かされる。山西省の雁北地方の貧しい山村における男女が、牢固とした価値観に縛られて(自らそれをよしとして)生きる姿が一見淡々とスケッチされている。方言を用い、農民の思考にそって描くという叙述法がとられているので、外国人である読者には分かりやすいとは言えない作品であるが、独特の味わいをもっている。「親家」は黒旦という男が、自分の息子の嫁をもらう時に渡した結納金が少なかったため、一年の内ひと月だけ妻を嫁の実家に貸して舅の相手をさせるという話である。「女人」は温孩という若い男が、自分を寄せつけないだけでなく、家事をしようともしない新妻を、隣人や母親に教えられて、さんざん殴った上に性的に屈伏させ、家事もやらせるようになった顚末を、うわさ話をするように書いたものである。「愣二瘋了」の愣二という若者は父親が家をあけると、頭がおかしくなり、人を殺せと叫び、オンドルを平手で叩いて敷いてあるアンペラをぼろぼろにしても、まだやめようとしない。ある日愣二は大鼾をかいて眠りそれ以後おとなしくなる。その愣二を見て、母親が、何度も人を殺すよりはましだ、と呟いて服のはしで涙を拭う姿を描いている。母親が愣二の相手をして性的欲求を発散させたことを暗示する近親相姦の話である。「莜麦秸窩里」は、莜麦の乾茎の中で愛を語らう若い男女の会話だけからなる作品である。近く金持ちの男と結婚する女は好きな男に身を任せようとするが、男は〝月が見ている。うちの村の娘はそんなことをしてはいけない〟と受けいれない。娘が泣くと、男も熱い涙を娘の顔にぽとぽとこぼす。全篇ふたりの短い一言ふた言の会話がつづくだけなのに、哀切さのにじむ不思議な作品である。「鍋扣大爺」はよそ者だがだれかれ構わず酒を村人にすすめ、じぶんも酔うといつも野中の墓地へ行って寝てしまう鍋扣おじさんを描いた作品である。年寄りは若い者に言いつけて、おじさんを村に担いで帰らせる。野卑なことをしては皆を面白がらせていたおじさんが、おれを三番目の寡婦の墓に埋めてくれ、といって息をひきとり、村人たちは困ってしまった、という話である。死のまぎわに鍋扣おじさんが生前の寡婦との関係をうちあけたのだが、だからといって一緒に埋葬することなど出来ないことなので村人達は困惑したのである。語り口の面白い作品である。作品の題名は鍋扣おじさんが酔うといつも歌う歌の一節から採られたものである。

「白天我想你墻頭上爬　「昼間はあなたは塀の上によじ登るが、

到黒夜我想你没辦法」　真夜中にはあなたはどうしようもないと思う」

作家汪曾祺はこの作品を高く評価し、推薦の文を書いた。[10] 汪曾祺はまずこの作品が真実の生活を描いていると評価する。

「この数篇の小説を、私は討論会の始まる前、時間の都合をつけて読んだ。一気に読み終わって、思わず〝素晴らしい！〟と言った。

これは全く真実の生活である。こういう生活は道理に合わないが、本当なのだ。曹乃謙は、〝私が書いたのはみな本当のことです。〟と言っている。私は信じる。……

これは酷寒の、閉鎖された、ソバ粉を食べる雁北の農村の生活である。こういう所にして、はじめてこういう生活がある。このような酷寒が、人びとの価値観を、はっきりした、すこしも覆い隠すところのない価値観を形成したのである。」

価値観に縛られて生きる人びとの姿を指摘した後、その価値観がゆらぐ可能性にも目を向けている。

「『莜麦秸窩里』は、美しい、独特の抒情詩である。こういう愛はほんとうに特別である。

〝お金があっても使わないで、こっそり貯めて醜兄さんにあげる。お嫁さんを貰えるように。〟

〝おれはいらない。〟
〝私、貯める。〟
〝おれはいらない。〟
〝要ると言って。〟

これは黄金と同じ心である。最後に二人はこれは運命だというところに行きつく。彼女は泣き、醜兄さんは彼女が本当に泣くのを聞いて、自分も熱い涙を〝ぽとぽとと〟彼女の頬っぺたにこぼすのである。彼らの涙は長年のその習俗を湿らせ、この酷寒の土地に温もりを与えるかもしれない。」

次いで汪曾祺は、作者の姿勢を評価し、この作品の感動のよって来るところを明らかにする。「作者の態度はきわめて冷静で、まったく心を動かされないかのようである。もちろん違う。曹乃謙は会合でたずねた。〝私は書いていると、心が激してどうしようもなくなります。こんなふうでいいのでしょうか。〟私は答えた。心が激さなくてはだめです。でも、考えているときに心が激し、書いているときは冷静でいるようにしなくてはいけません、と。曹乃謙にはそれはできている。彼の小説は一見さり気なく、ごく当たり前の事として語っているようだが、彼はつらい思索を経ているのだ。彼の小説は、どうしようもない、という思想に貫かれている。このような生活に対しては本当に〝どうしようもない〟のだ。曹乃謙は言う・問題はこういう生活がいいと彼らが思っていることです。彼らはこういう生活は悲しむべきだとは感じていないのです、と。しかし、曹乃謙がこういうあり得ないような生活を当たり前のように語る時、いけない！こんなふうに生きてはいけない！という重い叫びが私達には聞こえてくる。作者はこういう生活を奇異な風俗としてわざわざ誇張することもしていないし、浮ついたからかいもしていないし、取り繕うこともしていない。ただいかにもふさわしくありのままに書き、ありのままに書くなかで悲痛をおさえている。その悲痛はこのような生活、ここの人に対する深い関心から来ている。私はこれがこのひと組の作品の奥深くに内包されているものであり、また作品の人を感動させる所以であると思う。」

この作品の形式については、こう述べている。

「小説の形式は一般的な意味での素朴さ、一般的な意味での単純さではなく、北方の年越しの夜店で売る泥人形のようにまったく簡単である。形はアンバランスで、色着けは斑であるが、ざっと描いた眼もとにはなんともいえない無邪気な面白味があるようで、無錫のあまりにも精巧に作られた泥人形よりすぐれているし、プラスチックでできた花の仙人よりもずっとよい。これは作者が意識的にある種の稚拙の美を追求したのではなく、彼はただ生活のとおりに生活を書いたのだと思う。作品の形式は即ち生活の形式なのである。」

言葉、文体についても、高い評価を与えている。

「言葉がよい。庶民の言葉で庶民のことを語っているのがよい。こうしてこそ大衆の言葉をうまく学べるのだ。大衆の言葉を学ぶというのは、少しばかりの単語を取り入れるのではなく、まず大衆の〝語り方〟を身につけることである。大衆の語り方はとても面白いもので、インテりのそれとは全く違う。彼らの語り方自体が精緻なものであり、感情の色合いに富み、ユーモアがある。趙樹理の言葉は決して農民言葉を過剰に使ってはいない。しかし、彼は農民の語り方をしっかりと掴んでいたので、基本的に共通語（普通話）を用いた言葉に独特の味わいがあるのだ。曹乃謙の言葉はソバの味がする。彼が使っているのは雁北人の語り口だからである。」汪曾祺は作中で同じような描写が重複して用いられていることを指して、「こういう重複は重なり合う韻律をつくり、叙述の力強さを増している。」と評価している。たとえば次のような所である。

愣二のおっかさんは竈のそばに立って、じっと愣二に目を据えて放心して考えた。しばらく考えると服の衽のあたりをまくり上げて目を擦り、しばらく考えると服の衽のあたりをまくり上げて目を擦った。

……愣二のおっかさんは竈のそばに立って、愣二がオンドルのアンペラを繕うのを見て考えた。しばらく考えると服の衽のあたりをまくり上げて目を擦り、しばらく考えると服の衽のあたりをまくり上げて目を擦った。

また、汪曾祺は「莜麦秸窩里」の短い会話を「対話もうまく書けている。これ以上短くできない位短く、これ以上簡単にできない位簡単であるが、たいへん味わいがある。」と評価して、次の箇所を引いている。

〝醜兄さん。〟
〝うん。〟
〝これは運命よ。〟
〝運命だ。〟
〝私たちふたりの運が悪いのよ。〟
〝おれは悪いけど、おまえはいい。〟
〝よくないわ。〟
〝いいよ。〟
〝よくないわ。〟
〝いい。〟
〝よくないったら。〟

まさにこれ以上は短くできない、簡潔な言葉のやりとりである。汪曾祺の評価は的確である。「親家」から「鍋扣大爺」の五篇の作品は、いずれも雁北の貧しい山村に生きる人びとの〝ありえないような〟生活を寸描し、一篇一篇がひとつづの作品世界をつくるとともに、五篇の作品が全体としてそこでの生活の過酷さを浮き彫りにする効果をあげている。これは何篇かの作品をひとつの系列のものとしてまとめたことの効果である。もちろん一篇一篇がそれぞれにまとまりをもった作品世界を作り上げていることが前提となるが、こういう連作という形式は特に短い微型小説にあっては、一つの有力な方法ではないか、と考える。

「到黒夜我想你没辦法」は、一篇が九百字に満たない微型小説五篇からなる一組の小説である。孫春旻が指摘しているとおり〝長篇、中篇、短篇と比べても、少しも遜色のない〟力をもった作品である。この作品によって微型小説というジャンルが成熟を迎えたとする見方に賛意を表してよいだろう。ただ、それが連作という形式に依って効果を上げている点も見ておかなくてはならないと思う。

注

1) 凌煥新「微型小説探勝」『微型小説選』2、江蘇人民出版社、一九八三年一月、所収。
2) 江曾培「微型小説初論」『微型小説選』上海文藝出版社、一九八二年十二月、所収。
3) 孫春旻「走向成熟的微型小説」『文藝報』一九八九年八月十二日、所載。
4) 呉士余「微型小説:叙事文学的特殊体制」呉士余『文学・現代人的思考』中国展望出版社、一九八七年十二月、所収。
5) 凌煥新「微型小説探勝」、前出、など。
6) 豊暁編『諷刺微型小説60篇』上海文化出版社一九八六年六月、『微型小説集』中国文聯出版公司、一九八六年一月、孟偉哉等編『微型小説一百篇』貴州人民出版社、一九八七年八月、何東平、王平編『名人千字文小説巻』海燕出版社、一九九一年二月、など。

7) 凌煥新等編『微型小説選』3、江蘇人民出版社、一九八四年三月、『微型小説集』中国文聯出版公司、一九八六年一月、孟偉哉等編『微型小説一百篇』貴州人民出版社、一九八七年八月、など。

8) 評講、劉心武、卜方明編『全国微型小説精選評講集続集』学林出版社、一九八七年六月、所収。

9) 『北京文学』一九八八年第六期に発表。

10) 作品とともに『北京文学』に掲載、のち『作家、評論家、編輯家推薦一九八八年全国短篇小説佳作集』上海文藝出版社、一九八九年十二月、に作品とともに収録。

第七章　微型小説―その多様な形式

文学作品は内容と形式によって成り立っているもので、この二つが不可分の関係にあることはいまさら言うまでもないことである。だから作品を形式と内容に分けて考えることはあまり意味がないが、どちらかと言えば形式面の工夫に特徴のある作品と内容によって注目される作品があるように思われる。前章では主として描かれた内容に注目して作品を見た。〝新聞性〟という視点はまさに作品の内容にかかわるものであった。

本章では作品の形式面でどの様な工夫がされているか、という点に着目して作品を見てゆくことにしたい。微型小説は短いという制約があるが故に、逆にさまざまな形式が可能となり、その形式によって内容が生きる、ということがあるのである。

すでにこれまでに書かれたさまざまなタイプの作品が示し、評論でも指摘されているように[1]、二人の人物の対話、一人の人のモノローグ、公文書等からの抜き書き、何通かの手紙、映画などの幾つかのショット、というようなものだけで、一つの作品を成り立たせることが可能である。

作品を見ることにする。

（二）対話体

諶容「総統夢」（「大統領の夢」[2]）は、全篇対話から成る作品である。短いものなので、翻訳を以下に示そう。

大統領の夢　　諶容

「胖胖、はやく起きなさい！」

「まだ暗いよ！」

「朝起きて宿題やるって、ゆうべ言ったでしょ！」

「うん――うん、ぼく夢見てたんだ……」

「夢はいいから、はやく服を着なさい、パパにぶたれますよ！」

「ママ、ぼく本当に夢見たんだよ！」

「はい、はい、いい子だから、言うことをきいて、はやくなさい、腕を上げて！」

「ぼく夢で、大統領になったんだ！」

「算数がだめで、大統領になれますか！足を伸ばして！」

「本当だよ、ぼく命令を出したんだよ！ぼく……」

「足首を伸ばして！」

「学校を取り締まる大臣がぼくの前に跪いていて、ぼくは高い椅子に坐っているんだ、偉いんだ！ぼく、命令したんだ……先生の子どもに宿題をたくさん出しなさいって！」

これで全文である。短いやりとりの中から、子どもにはやく服を着せ宿題をやらせようと焦っている母親と翌朝にもちこす位たくさんのたくさんの宿題に悩まされ、夢の中でも宿題を減らしてほしいと願っているまだ小学校低学年の男の子の生活が浮かび上がってくる。母親は子どもの言うことに口では応対しているが、まともにとりあっていないことが読みとれる。子どもの気持ちを理解し、受けとめているとは言えない。また、この親子のやりとりの中から小学校に入ってもまだ自分で服が着られない、甘やかされた子ども、過保護な親という問題も読みとれる。末尾の子どもの言葉によって過重な学習の負担、つめこみ教育、受験体制の批判を意図した作品であることが分かる。一見ほほえましい母と子の短いやりとりの中にいろいろな問題が含まれているのである。作者のなみなみならぬ力量を感じさせる作品である。

長篇を二人の人物の対話だけで構成するのは、まず不可能と言ってよいだろう。短篇でもそれは容易ではないが、微型小説では可能であることは、今見たとおりである。韓冬「隔墻対話」(「壁越しの対話」)[3]、紹六「一個複雑的故事」(「或るこみいった話」)[4]なども対話だけで出来ている作品である。前者は仕事が忙しくていつも帰りがおそいため、とうとう家から締め出された夫と腹を立て切り口上に夫を責める妻の、家の外と内からの対話である。懇願しても中に入れてもらえず、仕方なく職場に行って泊まるという夫を、口では怒りながらも妻が家に入れてやるところで作品は終わる。妻の腹立ちも夫の健康を心配してのことである、という人情話である。漫才のような、めりはりの効いたやりとりが面白い作品である。後者は対話の一方の人の使途不明の十五元のお金が、順々に三人の人の所へ送られてゆき、それにかかわる何人かの人の生活と心情が対話を通じて浮き彫りにされる、という作品である。多くの人がからむ複雑な人間関係が、二人の対話だけで表現されているところに工夫がある。

対話あるいは電話でのやりとりの背景、話者の心理などについてコメントが少しついた作品も対話体に入れてよいだろう。短い電話でのやりとりを七つとそれに混線のため他の人の間で交わされた電話でのやりとりを偶然耳にした〝私〟の内心の声から成る、郭志一「打電話」(「電話をかける」)[5]、或るホテルの評判の料理について取材に来た記者と支配人の対話を通じて、視察を名目にしてただ食いをしてきた役人の実態が浮かび上がる克非「白喫団的歴史功績」(「ただ食い団の歴史的功績」)[6]などの作品がある。

(二) **独白体**

葉文玲「伉儷曲」(「夫婦の歌」[7])は、全篇独白から成る作品である。医師である夫の仕事への献身のため、ひとりで子どもたちを育て、ひとりで家のことをとりしきってきた老妻が、夫のことを取材に来た記者にこきおろすという形で作品は進行する。

爺さんには全く腹が立つんだから。
こんな人っているかしらね。日曜日だって、休むもんですか……

という調子で、息子の結婚式にもちょっと顔を出しただけ、娘が嫁いだ先の町の名も覚えていない、正月に一家の者がみな集まったのに一人だけ勤めに出て不在、と妻はきつい口調で夫のことをこき下ろすのだが、実はそういう夫を誇りに思っていることも、愚痴を言う言葉のはしばしからにじみ出る、という内容で、語り口の面白さで読ませる作品である。同じ作者の「心曲」（「内心の歌[8]」）という作品も独白体である。どこから見ても平々凡々としているが、鉢植えの花づくりに心血をそそいでいる年配の教師の心の美しさを、若い同僚が語る、という作品である。母国政「含羞草」（「おじぎ草[9]」）は、雑誌の編集者という知識人であるのに、感情が激すると思わず汚い罵り言葉を口にしてしまう父親の悪癖を直させようと、二人の娘たちが苦心する様を、下の娘が語るという形式の作品である。父親のその悪癖は、公然と意見を表明できなかった文革中に身についてしまったものであることが、作品の末尾で明らかにされて終わる。文革の時代への批判が基調にある作品である。

一人称で（〝私〟の視点から）書かれている作品は少なくないが、〝私〟が語る（あるいは〝誰か〟が語る）という、本来の語り口調で通した独白体の微型小説は、必ずしも多くはない。例えば、謝冰心「万般皆上品……」――個副教授的独白」（「どれもこれも皆上等品……――ある大学助教授の独白[10]」）は、経済的に恵まれなかった親の生活をよく知っているが故に、高給を求めてタクシーの運転手とレストランのウェイトレスになるという息子と娘に、複雑な感慨をもつ父親の〝独白〟という設定になっている。ところが息子と娘の言葉はそれぞれ〝話している〟とおりに書かれているのに、その二つを紹介する父親（私）の言葉は、〝語る〟というよりは、事実を伝える〝地の文〟（説明）に近い。題は独白となっているが、「伉儷曲」のように全篇がほぼ〝語り〟の口調で書かれているわけではないのである。
独白という形式は短篇や長篇でも可能であることは、芥川龍之介「藪の中」、中野重治「五勺の酒」、井上靖『孔子』などで明らかだが、短い掌篇においてより一層とりくみ易い形式である。

(三) **摘録(抜き書き)体**

陳亭初「提昇報告」(昇進提案の報告[11])は、ある人物の昇進を提案する文書とそれに対する回答を四組み並べただけの、摘録体の作品である。冒頭の一組(提案と回答)は、こうなっている。

昇進提案の報告

陳亭初

一、李力・男、年齢二十五歳、北京大学中国文学科卒。二十歳から作品を発表しはじめ、すでに二十篇余り発表している。同同志はかなりの組織指導能力を持っており、文芸課長への昇進を提案したい。

人事部

一九五八年七月

たしかに有望な人材である。指導を強めるべきである。現場に配置し、しばらく鍛えてからにしたい。

文化局党グループ

一九五八年八月

こうして機械工場に配属されたこの人物は、二一、一九六四年三十一歳の時、三一、一九七九年四十六歳の時、人事部から昇進の推薦をうけるが、工場の党委員会によって時期尚早との理由で見送られ、四一、一九八四年五十三歳になって文化局党グループから文化局副局長に推されるが、組織部によって今度は幹部の若返り政策の年齢制限をこえているとの理由で却下される。四組の公文書の抜き書きから反右派闘争以後の誤った知識人政策のため十分な資格をもちながら遂にふさわしい処遇をうけることのなかった一人の人間の生涯が読みとれるしくみになっている。昇進が提案される年代にも配慮がはらわれており、読者に考えさせる内容をもった作品である。

或る村役場への来訪者の訪問の目的、身分、用件を記した記録ノートの抜き書きを五つ並べた彭達「来訪登記簿摘録」(「来訪者記録簿抜き書き[12]」)は、養豚が成功して万元戸になった或る女子青年が、いろいろな所から表彰され、それへの応接で忙しく、豚の世話をする時間もなくなって困惑している状況が、無味乾燥な文章の行間から浮かび上がってくる、という作品である。有名になった人物をもてはやす風潮、どこかの組織が表彰した人間は安心して表彰できるという保守主義が批判されている。韓石山「報告与批示」(「報告と指示[13]」)は、工場長の更迭を求める労働者たちから党委員長への報告とそれに対する指示を並べ、問題があっても幹部を更迭できない状況を皮肉った作品である。

公文書の摘録という形式が、現実にある問題を指摘し、批判する有効な形式であることが、これらの作品を読むとわかる。

鄧開善「一個学徒工某月的支出」(「ある見習い工のある月の支出」[14])は、一人の武術狂の見習工のひと月の主な支出の抜き書きで、支出項目と金額だけから一人の青年のあまり生産的とは言えない生活と無鉄砲な性格が読みとれる作品である。金銭出納簿からの抜き書きでその帳簿の持ち主の置かれた状況を浮かび上がらせるというアイディアは、マーク・トゥエインの「夫の支出帳の一頁」[15]という作品に由来する。マーク・トゥエインのこの作品は、以下に訳文を示すようにただ七項目の支出の名目と金額の多寡とを記しただけのものである。

夫の支出帳の一頁　　　　マーク・トゥエイン

タイピスト募集の広告代……(支出金額)
一週前にタイピストの給料を前払い……(支出金額)
タイピストに送る花束を購入……(支出金額)
彼女とのディナーの代金……(支出金額)
妻に服を買う……(多額の出費)
義母にコートを買う……(多額の出費)
中年のタイピストを募集する広告代……(支出金額)

この無味乾燥な記述から、夫が雇った若いタイピストに色目を使い、それが妻にばれてひと悶着あって、夫は妻と姑の機嫌を直すためいろいろ腐心しただけでなく、そのタイピストを解雇した、という一連の出来事が推測できるようになっている。鄧開善の作品は、このマーク・トゥエインの作品にヒントを得たものと思われる。日本でも大正末年のコント流行の時に岡田三郎が書いた「或る女の支出帳」は、マーク・トゥエインの作品に倣ったものであった。

(四) 書簡体

書簡体は欧米における初期の小説の一形式でリチャードソン『パメラ』、ラクロ『危険な関係』、ゲーテ『若きウェルテルの悩み』など有名な作品が多数ある。手紙の長さと数によって、長くも短くも出来るのが特徴である。呉若増「又及」(「追伸[16]」)は、二通のごく簡略な手紙の一部を並べただけの、省略の極致と言える作品である。手紙の本文は形式的な挨拶の常套文句だけ残して、他はすべて省略されているので、全く意味をなさない。末尾に付けられた〃追伸〃にだけ意味があるのだが、追伸の内容も二通の手紙で違っている所は、タバコの銘柄だけである。北京にいる甥がニューヨークの叔父に〃キャメル〃を、叔父の方は〃中華〃を、ついでの時に送ってほしいと頼んでいるのである。理由はいずれも同じで、贈り物として喜ばれるから、というのがこの作品の内容である。外国のものをむやみに珍重する風潮を批判した作品である。兄から弟へ、弟の妻から兄へ宛てた二通の短い手紙から成る唐訓華「両地書」(「離れた土地からの手紙[17]」)、都市と農村に別れて住む夫と妻の手紙を並べた無名氏「兩封家書」(「二通の家からの(への)手紙[18]」)も、書簡体の作品で、いずれも二つの手紙の内容が相手に意外な事実を伝え、同時に読者にもその間の事情にある種の感慨を催させる、という仕掛けが施されている。

比較的短い後者を見ておこう。訳を示す。

淑賢：

ぼくらが〝寝ても覚めても願っていた〟農村の戸籍を都市の戸籍の移すことが、今やっと実現したので、一家の食料の戸籍を田舎から移して下さい、お忘れなく！

うまくいくよう願っています！

夫　志林　某月某日

志林：

こんにちは！お手紙を書こうと思っていたら、お便りをいただきました。私が喜んだと思いますか、がっかりしたと思いますか。最近私は、家で自動養鶏場を始めましたが、技師がいないのです。人材募集の掲示を八県四市に貼りましたが、たぶんこちらの要求が高いためでしょう、いまだに訪ねてきた人はいません。このためとても焦っています。あなたは今でも私のことを考えていてくれますか。もし私のためを思ってくれるのでしたら、どうぞ勤めをやめて、大至急帰って来て下さい。お願い致します。

貴方の前途が洋々たるものでありますように！

妻　淑賢　某月某日

この短い二通の手紙から、かつては農村から都会に戸籍を移すことは、農村に住む一家の夢であったが、農村の生活が改善されて必ずしもそうではなくなった、ということがわかる。農村の生活の変化が、かつては一致していた夫と妻の願望、要求に食い違いを生じさせ、新たな矛盾をつくり出しているのである。このあとこの夫婦の生活がどうなるかは、すべて読者の想像に委ねられており、そこに面白さがある。短い容量に豊富な内容を盛り込める形式と言えるだろう。

（五）シナリオ体

王青偉「!──?」[19]は、映画のモンタージュの手法で書かれた作品である。

気味の悪いほど静かでひっそりとした夜。星がはるか遠くの天空からこの大きな、古い都市をじっと見おろしている……

突然、耳をつんざくような、けたたましい怪しいもの音が、夜のしじまを破る……

という説明が最初にあり、つづいてA運転手（にやにや笑いながらクラクションのボタンを押しつづけている）、B将軍（ベッドからとび降り、三十年代に地下活動をしていた頃の警察の車のサイレンを思い出して苦笑している）、C作家（騒音に悩まされ、手で耳を押さえている）、D母と子（熱があり泣き叫ぶ子を必死であやしている母親）、E裁判所長（訴訟記録を調べていたが、思考を中断され、怒っている判事）というように、映画のシーンの説明に似た文章が相互の脈絡なく並んでいる。共通項は車のクラクションの騒音である。最後は「F、星！――？彼女はまばたいている……」となっている。読み方によっていろいろに読むことの出来る作品である。もちろん、作者としては、関連のない場面を重ねることで、一つの印象を作り上げようとしていることは言うまでもないが、題名を「！――？」とすることで作者が読者に解釈をゆだねたことも確かである。それにしてもこの題はどう読んだらよいのだろうか。

那家佐「古老的伝説」（「古い言い伝え」[20]）は、一、女の子を背負って子宝観音に男の子が授かるように祈っている纏足の女、二、女の子を抱いた女がよその女の所へ行っている夫を待ちつづける姿、三、短髪の女が娘の手を引いて泣きながら実家に帰っていく姿、四、長髪の女が狂ったように走り、その後を女の子が追っている、という四つの場面に少しづつ説明を加え、男の子を生めないために苦労する四世代の女性を描いた短いシナリオ風の作品である。

鄧開善「音符」[21]もシナリオの体裁をとった作品である。

以上五種類の作品を見たが、この他にも形式と技法の上で様々に工夫された作品がある。繰り返し歌われるわらべ歌の同じ文句を並べ、それを聞いている人物の気持ちが少しづつ変化してゆくのを七つの短い形容詞だけで表現した路東之「・—・—・—・—・—」[22]、誕生日の贈り物のカステラがめぐりめぐって最初の贈り主のところへもどった時は腐っていたという内容を六つの独立した短い話でつないだ李喬生「蛋糕的奇遇」（「カステラの運命」[23]）、ほとんど同じ内容の電話での話を、末尾だけちょっと変えて二つ並べ、その電話をかけた人物の運命を示唆した劉以鬯「打錯了」（「かけ間違えました」[24]）などは、微型小説の制約をうまく生かした作品である。

注

1) 袁昌文「形式多様的微型小説」(袁昌文『微型小説写作技巧』学苑出版社、一九八八年十二月)
2) 同前。
3) 孫雁行編選『茉莉香茶』(一分鐘小説選) 文化藝術出版社、一九八六年六月、等。
4) 凌煥新等編『微型小説選』(3) 江蘇人民出版社、一九八四年三月、等所収。
5) 凌煥新等編『微型小説選』(2) 江蘇人民出版社、一九八三年九月、等所収。
6) 韋暁編『諷刺微型小説60篇』上海文化出版社、一九八六年六月、等所収。
7) 本書編選組編『微型小説選』上海文藝出版社、一九八二年十二月、等所収。
8) 凌煥新等編『微型小説選』(3) 前出、等。
9) 孟偉哉等編『微型小説一百篇』貴州人民出版社、一九八七年八月、等所收。
10) 楽牛、飛茂編著『微型小説薈萃』農村読物出版社、一九八八年十二月、等所収。
11) 王国全、関儀編『中外微型小説美欣賞』花城出版社、一九九二年九月、所收。
12) 凌煥新等編『微型小説選』(6) 江蘇文藝出版社、一九八六年三月、等所収。
13) 同前。
14) 韋暁編『諷刺微型小説60篇』前出。
15) 張光勤、王洪主編『中外微型小説鑑賞辞典』社会科学文献出版社、一九九〇年十一月、所収、より訳出。
16) 韋暁編『諷刺微型小説60篇』前出。

17) 卜方明編『全国微型小説精選評講集続集』学林出版社、一九八七年六月、等所収。
18) 袁昌文「形式多様的微型小説」前出。
19) 『小小説選刊』編集部編『微型小説集』中国文聯出版公司、一九八六年一月、等。
20) 王国全、関儀編『中外微型小説美欣賞』前出。
21) 凌煥新等編『微型小説選』(2)前出。
22) 韋暁編『諷刺微型小説60篇』前出。
23) 孟偉哉等編『微型小説一百篇』前出。
24) 何東平、王平編『名人千字文小説巻』海燕出版社、一九九一年二月、等所收。

第八章　ジャンルの定義をめぐって

中国における微型小説の理論、研究は、創作の発展、成熟とともに、盛んになったことは、すでに触れたところである。ジャンルの特徴を明らかにするために、これまでに多くの評論が書かれ、相当数の研究書も刊行されている。それらに於いて微型小説は名称、定義、技巧、歴史、現状、可能性、ジャンルとしての特徴（題材、内容、構成、人物、プロット、背景、文体など）がさまざまな角度から論じられている。

この章ではそれらをもとに、微型小説の定義をめぐる論議を日本のそれと対比して見ることにしたい。まず日本の掌篇、ショートショートについてである。

一、日本での掌篇小説、ショートショートの定義

大正末年のコント流行の時に、作品の長さを示すいくつかの名称があった。二十行小説（岡田三郎）、十行小説（中河與一）、一枚小説（武野藤介）などである。この他に掌に書いた小説（億良伸）、掌篇小説（中河與一）、掌の小説（川端康成）、コント（岡田三郎）、三枚小説（中

西伊之助）などというのもあった。特に前者はそのものずばり長さを示すためか、さらにその性格をはっきりさせるための定義づけはなされていない。後者のうちコントについて岡田三郎は、次のように性格を規定したことは先に見た通りである。

人生の現象を寫實主義的に書くのではなく、その現象とそれに對する作者の批評とをすっかりまぜあわせた上で、そこから新たな文藝素材をつくり上げ、それを組みたてて短篇小説を書く。[1]

しかし、この文ではコントの形式面については何も示されていない。つまり、作品の長さについてさえ、とくに言及してはいないのである。

川端康成は、題材の扱い方については、岡田三郎とほぼ同じ考えを示しつつも、長さについては、次のように述べた。

コントはその本来の條件の外に尚一つの條件が附加されて日本に輸入されたやうである。この附加された條件は云ふまでもなく、極端に短いと云ふことである。……日本の文壇では、所謂二十行小説とコント論とがほぼ同時に現れ、この二つが半ばは必然的に半ばは偶然的に握手をして、コントの形式に一つの條件を附加するやうな結果を招いたと言へよう。[2]

この時に生まれた新しいジャンルであるのに、掌篇小説には〝極端に短い〟という以外に形式面での規定はなされなかったのである。ただ、当時『文章倶楽部』は「五枚以内の短篇小説（コント）」を募集していたし、『文藝日本』のコントの投稿規定では「二十字詰め原稿用紙にて百行以内のこと」と決められていたので、コントの長さは四百字詰原稿用紙五枚という暗黙の了解があったと考えてよいのかもしれない。

以後、昭和四年に中村武羅夫による「原稿紙十枚くらゐの小短篇」[3]という提唱、昭和六年から七年にかけて壁小説（「一二頁のもの」「集会所なんかで壁にはられて利用されるもの」）の提起[4]はあったが、形式面の規定は作品の長さに限定されていた。

一九五〇年代から六〇年代にかけてのショートショート流行の時に、アメリカのショートショート論が紹介され、はじめて定義といってよいものが論議にのぼった。

中原弓彦（小林信彦）によれば、その一つロバート・オーバーファーストの定義はこうであった。

ショート・ショートとは、短篇小説に必須のあらゆる技術と、完全な手腕を必要とするのみならず、さらに凝縮と抑制を要するものである。……

ショート・ショートとは、約一五〇〇語の中に短篇小説固有のすべての劇《ドラマ》を包含したものである。[5]

この定義によれば、短篇小説とショートショートの違いは、長さ（約一五〇〇語、更に凝縮と抑制を要する）にしかない。中原によれば、一五〇〇語は四百字詰原稿用紙で約十枚である。

各務三郎によると、リチャード・パーブライトの定義は、ショートショートとは、「原稿用紙にして十～二十枚くらいの物語の中に閃光の人生をかいまみせながら、新鮮なアイディア、完全なプロット、意外な結末の三原則を充実させている作品」[6]ということになる。

この定義も十枚から二十枚という長さのほかは、ショートショートの三原則を充たすという条件があるだけである。

ショートショートという名称の紹介者である都築道夫は、次のような比喩で短篇との違いを説明している。

「非常に長い棒をはしっこからこっちのはしっこまでずっと書いているのが、長篇小説。その中ほどを適宜に任意にちょん切って、そのちょん切った部分のはじからはじまで書くのが短篇小説。ショート・ショートというのは、それをちょん切ってもいいし、ちょん切らなくてもいいんだが、棒を横にしないで縦にして小口を覗かせたもの。」[7]つまり一本の長い棒の「切り口を示すのがショート・ショート」で、「切り口の向こうに、棒全体の長さ」「を示すような覚悟が少なくとも必要なのではないか」[8]というのである。

巧みな比喩でショートショートという形式の特徴が印象深く語られていると思う。尚、都築は長さについては、十五、六枚（四百字詰原稿用紙で）くらいまで、と考えている。ショートショートの論議とは別に、掌篇小説という形式の特徴を極めて印象的にとらえた一文がある。

それは長篇、短篇、掌篇の相違をそれぞれスキー競技における距離、滑降、ジャンプの違いになぞらえて、次のように説明している。

距離競技には、自然や社会に挑みながらの人生の紆余曲折があり、滑降には、旗門を節目とする小時間内の起承転結があるが、ジャンプでは、ジャンプとランディングの二点を結ぶ飛翔があるだけである。長編は人生をトータルとして巨視的にとらえる。したがってそのなかをつらぬく基本的な原理は発展の法則である。短編は人生の断面を切り取り、そこに縮図を刻む。その基本的性格は凝縮である。が、長編と短編に共通する構成要素として因果関係がある。掌編では、その因果関係さえも切断する。その結果は、ジャンプにおけるように、飛ぶだけであり、飛型が命となる。

掌編は小説であるから、やはり人物を登場させ、会話や心理的対応の場面を設定する。が、短い枚数のなかでは物語が完結しないという予感があるから、因果関係を切断する。したがって、物語は飛翔するけれども展開しないから、そこで描かれるものは人生の意味ではなくて、人生の過渡の形である。掌編には、スキーのジャンプにおけるランディングのような「落ち」や「締め」による結びはあるけれども、小説世界としての完結はない。[9]

これは川端康成の掌篇「夏の靴」を分析した文中で展開されている掌篇小説論である。筆者右遠俊郎は、掌篇の長さは、十枚（四百字詰原稿紙で）以内と考えている。なお、右遠は短篇の中の最も短い形であるが、掌篇を目指した跡の見られない作品、例えば葉山嘉樹「セメント樽の中の手紙」、梶井基次郎「桜の木の下には」、太宰治「満願」などを、〃超短編〃と呼び、新しいジャンルとしての掌篇への志向をもった作品、例えば川端康成の掌の小説の或るものを〃掌編小説〃と呼んで分けて考えている。同じ川端の作品でも「『夏の靴』は、……掌編というよりは超短編である。なぜなら、そこでは比較的よく物語が整っており、主題としての人生の意味が問われているからである。それに、登場する人物の一人、勘三は生身の厚さを持っていて、……勘三には体重と表情がある。それに対して、同じ下田街道に取材したと思われる、『海』のなかの若い土方、『有難う』のなかの運転手には役割だけがあって実像がない。それは『海』と『有難う』で人物の形象に失敗したというのではなく、掌編としての構えのゆえに、初めから姿を消しているのである。」と説明されている。

掌篇の特徴は長さだけにあるのではなく、描かれる内容、描き方もかかわっていることが明らかにされていて、説得的である。右遠の後半の指摘は、ショートショートの三原則の一つ、完全なプロットにも問題を投げかけていると思われる。この掌篇小説論は極めて示唆に富むものであるが、子供を主題とした作品論の一篇の中で展開されたものであったためか、ほとんど注目されずに終わっているようである。出色の掌篇小説論であると思う。以上がこれまでの日本における掌篇小説、ショートショートの定義である。この短い形式は時々に流行という状況を迎えても、やがてすたれるという経過をくりかえしたためであろうか、ジャンルの定義自体が深められないで終わっている。定義がほとんど比喩で語られるにとどまっているのも、このジャンルへの関心が必ずしも高いとは言えない現状の反映である。
以上のあまり十分とは言えない定義も、中国のそれを見る時の一つの目安になる。

二、中国での微型小説の定義

(一) 一九三〇年代の墻頭小説と一九五〇年代末の小小説

中国で短篇小説よりさらに短い小説が意識的に書かれるようになったのは、一九三〇年代の墻頭小説の提唱からと考えてよいだろう。すでに見たように、日本の壁小説が中国に伝わって墻頭小説となったことは、孫犁の指摘に明らかである。

墻頭小説という名称は、日本から伝わったものである。一九三〇年代に日本の左翼文芸雑誌『戦旗』は、工場、農村、団体の中の進歩的作家にこの種の文学を書くこと、自分たちの居る場所、置かれた環境の中で起こったことをすばやくこの形式の作品に書き上げて、近くに貼りだすことを呼びかけた。……一九三一年中国の文芸雑誌『北斗』(主編丁玲)は、この形式を紹介し、また作品を何篇か掲載した。[10]

ここで由来は明らかにされているが、定義に類するものはない。当時の雑誌『北斗』や『文學青年』などを見ても、短いという以外に形式についての規定はとくにはない。

一九五八年末に小小説がさかんに書かれた時、評論もかなりの数書かれて形式の特徴についていろいろ論議されたが、既に述べたように最も包括的に小小説の特徴を明らかにしたのは、「一鳴驚人的小小説」と題する茅盾の評論であった。その定義にかかわる部分を抜き出すと、次のようになる。

〝小小説〟という名称でしばしば各種の新聞雑誌に現れる二千字位の作品は、人を驚かす輝きを放っている。……これらの作品が〝小小説〟という名を得たのは、偶然ではない。なぜならそれは短く引き締まっているだけでなく、特写（これが主として実際の人実際の出来事を描く対象としていると認めるならば）と短篇小説（それが概括を具体的な方法としていることを否定しないとすれば）の特徴を結合させて、自ずと個性をもった新しい品種となっているからである。[11]

長さは二千字位で、実際の人と出来事を内容とする短篇小説というのが、茅盾が当時の小小説から帰納して導き出した定義である。その他の論者も長さの点では、ほぼ一致している。老舎が「小小説は最も短い短篇小説である。たとえばどの作品も多くても二千字を超えない[12]」と述べていたことは、先に見たところである。他の評論でも「ふつう二千字をこえず、短ければ数百字[13]」とか「ふつう一、二千字をこえず、数分で読み終われる[14]」というように規定されている。

「新しい品種」「新しい形式」と認めてはいるが、長さ以外に短篇小説との区別はこの時明らかにされたとは言えない。

（二）新時期の微型小説

文革後、一九七九年頃から小小説は書かれるようになったが、そのはじめの頃を代表する評論が江曾培「微型小説初論」と凌煥新「微型小説探勝」で、新しい形式である微型小説について、その内外における歴史、題材、構成、人物、背景、文体等に見られる特徴、名称、微型小説にのみ可能な形式、ジャンルとしての可能性などを広く論じた。

前者では定義はこうなっていた。

微型小説に対する認識は、正に文は精錬されなければならないということを背景にして考察をすすめるべきである。微型小説は一千字以内の小小説であり、最大限に簡潔さと洗練が求められる。[15)]

後者ではいくつかの見解をまとめる形でこう書かれている。

比較的代表的と言える見方は、〝微型小説はもともと短篇小説から枝分かれしたものである〟から、〝その特徴も短篇小説の特徴に属するものである〟が、〝いちだんとよく練られた、枝葉のない、洗練された表現をとる〟というものである。[16)]

両者とも当時にあっては優れた評論であったが、立論の資料に使われたのは、茅盾の小小説論やソ連のアレクセイ・トルストイの小小説論[17]、中国古来の絵画論、詩論などの芸術論であった。言及されている作家、作品も当代のものを除くと、ハンガリーのカルマン「犬を真似て鳴く」、芥川龍之介「沼地」、マーク・トゥエイン「夫の小遣い帳の一頁」などに限られていた。日本の『ショート・ショートの広場』への言及もあるので、海外の新しいものへも目を向けはじめているようであるが、海外の作品、理論の本格的な紹介はこの後のことと思われる。

引用に見るように、両者とも短篇小説との区別は、必ずしも明確なものとは言えない。この後、微型小説の創作は急速に盛況に向かい、一九八四年には短篇小説とは別個の独立したジャンルとして一般にも認知されるに至った。中国新聞社が『一九八四年小説年鑑』を編集した時、はじめて微型小説を独立した一巻[18]にまとめたのが、その指標となっていることは既に述べた。微型小説に関する研究、評論の数が前年の十八篇に比べ一挙に倍以上の四十六篇に増えた[19]のも、一九八四年のことであった。以来盛況がつづき、理論、研究面での探究も活発であることもすでに述べたとおりである。しかし、研究、評論は単発的に発表されていて、他の研究、評論とかみあう形で論が発展するというようには必ずしもなっていない。幾冊かの理論書では問題点について一定の整理がされているが、基本的な点での違いも見られる。理論、研究は発展の途上にあると言えよう。

以下で微型小説の定義を、（Ⅰ）長さ（字数）をどの位と考えているか、（Ⅱ）短篇小説との区別をどこに置いているか、(Ⅲ)ショートショートの三原則をどう考えているか、の三点から見ることにする。

(Ⅰ)長さ、字数

一九五〇年代末の小小説は、長さを二千字前後とする点で、見方はほぼ一致していたが、一九八〇年以後の微型小説の字数は、一千字から四千字までと論者によって幅が大きくなっていた。代表的な評論と理論書に見られる字数の部分をとり出すと次のようになる。

〈千字前後を妥当とする見方〉

許世傑‥微型小説はふつう千字前後の小説を指す[20]。

王朝聞‥その字数は千字以内で、短い時間に読み終わることができる[21]。

古継堂‥微型小説、花辺小説、極短篇小説は、通常千字以下の作品を指す[22]。

〈千五百字〉

鄭賎徳‥ずばり字数で小小説に定義を下した人がいる。千五百字以下の小説を小小説という、と[23]。

劉誠錫‥一篇の微型小説は、千五百字位の芸術的時間空間をもつことが、適当である[24]。

〈二千字〉

劉誠錫‥　もっともよく見かけるのは、一、二千字である[25]。

林斤瀾‥一、二千字の小小説が、〝ちょうどぴったり〟である[26]。

彭志鳳：一般に二千字以下の短篇小説を〝微型小説〟という。さらに字数を千字以内に限定する人もいる。[27]

〈三千字〉

劉進賢：それはふつの短篇小説より一段と短く、少ない場合は数百字、数十字、多い場合は二、三千字である。[28]

〈四千字〉

峻青：より短いものはわずか数十字、最も多いもので四千字を超えないから、〝小小説〟ということができる。[29]

これらのいくつかをふまえた上で、于尚富、許廷鈞『小小説縦横談』では、次のように定義している。

「二千字前後がよいが、数十字から三千字までの小説を、小小説という。[30]」

三千字を超えないとしたのは、短篇小説との境界がそこにあると考えているからである。しかし、それはあくまで相対的なもので、小小説の限度を二千字前後までとすれば、三千字を超える短篇小説との違いははっきりするが、境界線を三千字で引くとそれに近づくにつれて両者の区別がはっきりしなくなることをこの二人は認めている。かりに小小説は二千字までとし、短篇は三千字以上とすると、その違いは明確になるが、こんどは二千字から三千字までの作品をどちらに入れるかという問題が生ずる。これは結局字数による定義だけでは解決できない問題である。

同じように字数についての様々な意見があることを押さえた上で、別の角度から字数についての見解を示しているのが、劉海濤である。彼は過去の作品の字数から帰納して微型小説の字数を割り出している。それによれば、『中国現代微型小説選』（学林出版社、一九八五年）所収の作品八十三篇の一篇あたりの平均字数は二千九百字である。この撰集収録の作品は、一九一九年から四九年までの間に書かれたものだが、この時期の作者には「長さのいっそう短い短篇小説」という意識しかなかったので、二千九百字という長さになった、という。しかし、微型小説というジャンルの特徴が日ましに明らかになっている現在は、字数にも大きな変化が生じている。『一九八五—一九八七全国優秀小説』（山東文藝出版社、一九八九年）所収の作品二百八十七篇の一篇の平均字数は、一千六百字であり、専門誌『小小説選刊』が毎号掲載する二十五篇前後の微型小説の一篇あたりの平均字数は一千五百字である。次に劉海濤は成人の平均読書速度は一分間に三百字という専門家の報告をもとにして、五分で読みおわる一千五百字前後は、微型小説にとって適度の容量である、と考える。劉は次のように述べて字数についての論を締めくくっている。

微型小説の理論家江曾培はこう指摘している。微型小説の〝字数はふつう千字前後であり、多くても通常千五百字をこえないし、最大でも二千字をこえてはならない。もし二千字をこえて、三千字余りになっても、微型小説というならば、それは微型小説の形体的特徴にそむくだけでなく、短篇小説の下限の字数を大きくし、かえって作品の精錬に不利となり、微型小説が新しく出来た「初志」に背くことになる。〟この論述は、十分明瞭に微型小説と短篇小説の字数の境界を画定しており、さらに微型小説の長さに対して的確で弾力に富んだ説明となっている。[31)]

ここに引かれた江曾培の見解は、一九九一年に書かれた評論に見えるものである。楊暁敏と郭昕は、一九九六年に至って次のように述べた。

小小説は三千字から次第に減って二千五百字、二千字となり、今では大体千五百字位に納まっており、小小説は長いものから短いものへ、幼稚なものから成熟したものへという発展の軌跡を示している。われわれは千五百字位が小小説の字数の比較的理にかなった限度かもしれないと考える。[32)]

中国では千五百字位を微型小説の妥当な字数と考えている、と見てよいだろう。

(Ⅱ) 短篇との区別

日本の掌篇小説、ショートショートの定義と同じように、短篇との違いをまず比喩で説明しようとする試みがある。その一つはこうなっている。

微型と短篇は結局のところ二人の兄弟であるが、二者にはやはり違いがある。短篇小説は一本の縄の幾つかの結び目であり、微型小説は通常ただ一つの結び目である、という人もいるし、短篇小説は〝面〟を描く芸術であるが、微型小説は〝点〟を描く芸術である、という人もいる。これらの論議には、いずれも道理がある。[33)]

次のように長、中、短篇と対比して説明しているものもある。

考えるに、もし長篇小説が歴史絵巻という形で世界を丸ごと把握するとするならば、中篇小説は生活という大河のひと区切りを記録し、短篇小説は社会生活の一つの断面を描く。それに対して小小説がうつし取るのは生活の断面上の一点である。[34)]

こうした比喩を用いた定義の一定の説得性を認めながらも、論者たちはその限界にも気づいている。

周知のように、論理学は比喩を用いて定義を下すことを認めない。また、いかなる比喩も片輪である。それが人に与える印象は鮮明で生きいきとしてとしており、人々が事物の本質を理解するのに一定の補助的な働きをするが、下された定義は依然としてはっきりせず、人それぞれに違った見方をするので、人によって理解が異なり、統一するのは難しい。[35)]

そこで具体的に作品を構成するプロット、描かれている題材、内容から短篇小説と微型小説の違いを説明しようとする試みがなされる。よく例に挙げられる作品は、魯迅の「孔乙己」と「一件小事」である。

題材という角度から見ると、「孔乙己」は、魯迅が咸亨酒店の小僧という特殊な角度から孔乙己を観察したもので、孔乙己がカウンターの前にいるいくつかの場面を描き、同時にまたいくつかの背景となる素材を織りまぜていて、事実上孔乙己の一生を描いている。描かれているのは、生活の中の一つの断面である。だから「孔乙己」は、短篇小説という範疇に入れるのがよい。「一件小事」に描かれているのは、"私"の生活の断面の一つの閃光点に過ぎず、一つの些細な出来事である。だから私たちはこの作品を小小説という範疇の中に入れるのである。[36]

これに対して劉海濤はプロットが、単一であるかどうかを、両者を区別する基準としているが、二作品の分類については同じ結論を下している。

一連の複雑な出来事（孔乙己の一生）が「孔乙己」の複雑なプロットを構成し、一場面の単一の出来事が「一件小事」の単一のプロットを構成している。だから「孔乙己」は短篇小説であり、「一件小事」は微型小説である。[37]

因みに「孔乙己」の字数は三千字たらずであり、「一件小事」は千五百字たらずである。字数という点では同じく微型小説に入れることが可能な作品が、一つの概念を導入することによって短篇小説と微型小説に分けることが可能となる、という見解である。

しかし、これに対して、プロットが複雑であるか、単一であるかによって区別するという点は同じだが、魯迅の「一件小事」は、実は短篇小説である、という見方を劉一東は示している。それは〝車が人をはねた〟という事件を描いたという点では共通する「永遠的蝴蝶」（「永遠の胡蝶」）（台湾、陳啓佑）という作品との比較によって明らかにされている。「永遠の胡蝶」は雨の日に私のかわりに車道を横切って郵便を投函しに行ってくれた婚約者の桜子が車にはねられて亡くなるという一瞬の出来事を、すべて〝私〟の心象を通じて描いた掌篇である。わずか五百字前後の短い作品であるが、その簡潔でむだのない構成と抒情性によって高い評価を受けている名作である。新時期の微型小説の創作に大きな影響を与えた作品と言われている。「永遠の胡蝶」は、〝女主人公桜子が、私に代わって大通りをこえて手紙を出しに行った〟という動きと、〝車が桜子をひき殺した〟という、それに対応する動き、即ち一回のぶつかり合いで終わっているのに対して、「一件小事」は、〝人力車夫と老女との衝突〟、〝車夫の性格そのものに基づく（「私」との）衝突〟、〝車夫と警官との衝突（小説の中では描かれていない）〟、〝「私」と警官との衝突〟という四つのぶつかり合いから成り、それらが「私」と車夫という二つの性格のぶつかり合いの中に有機的に統一されている、と劉一東[38]は見るのである。一見同じような出来事に見えても、細かに見れば異なっている内実を基準にして微型小説と短篇小説とを区別するという見解である。

(Ⅲ) ショートショートの三原則

〝新鮮なアイディア、完全なプロット、意外な結末〟という所謂ショートショートの三原則は、一九八三年にはすでに中国で知られていたと考えてよいだろう。オーバーファーストのショートショート論も一九八四年には紹介されている。所謂三原則には一定の価値を認めながらも、その足らざるところを指摘すると言うのが、中国の論者がおおむねとっている態度である。

次のような賛成の評価は珍しいが、微型小説の創作を推進する立場からこれを活用しようという考えが強いためであろう。

日本の或る文芸評論家は、星新一のショートショートには、三つの要素、即ち、一、新鮮なアイディア、二、完全なプロット、三、意外な結末、があると述べている。『大展』(書名)の中の多くの名作は、この分析が普遍的な意義をもつことを証明している。[39]

これは微型小説の発展のために多くの評論を書いてきた江曾培の言葉であるが、劉海濤も同じ立場をとっている[40)]。これに対して于尚富、許廷鈞は、一面で評価しつつも次のように批判している。

ショートショートの三つの特徴は、われわれの考えでは一部のショートショートの特徴に過ぎず、すべてのショートショートを概括することは出来ないと思う。とくに〝完全なプロット〟という一項がそうである。というのは〝プロットのない〟小説、〝散文化した〟小説、〝詩化した〟小説は、プロットが完全であることを必要としないからである[41)]。

袁昌文も総論では賛成、各論では反対するという立場をとっている。

アメリカの評論家ロバート・オーバーファーストは、微型小説は、三つの要素、一、新鮮なアイディア、二、完全なプロット、三、意外な結末、を備えていなければならないと考えている。この三点がそろっていれば、すぐれた微型小説を提出することが出来るだろうが、要素としては、適当とは思えない。新鮮なアイディア、これはその他のジャンルの小説にも要求されることである。意外な結末は、微型小説の結末の一種に過ぎず、唯一の方式ではない。完全なプロットというのも一般的要求に過ぎず、ほかにプロットの弱化した、散文化した微型小説もあるし、人物のいない、ストーリーのない微型小説もあるからである[42)]。

なかなか手厳しいが、正確な指摘である。作家林斤瀾は三原則に対しては極めて否定的である。

これを〝三つ〟の〝要素〟と呼んでいるが、私はどれもおかしいと思う。三つ目は結末だが、あまり言うことはない。一番目は新鮮なアイディアだが、微型小説でなくても、〝必要な〟〝要素〟である。二番目は完全なプロットと言うが、例の〝プロットのない〟小説はどうなるのだろうか。散文化し、〝詩化〟するという方法は、〝プロットの〟〝完全さ〟を求めないのである。[43]

日本では紹介されたまま、ほとんど検討されることもなかった所謂ショートショートの三原則が、以上に見たようにいろいろな人がとり上げて検討を加え、新しい小説の現状に合わない点は、一つひとつ批判されているのである。理論、研究面の成果も小さくないと言ってよいだろう。

以上日本における掌篇小説（ショートショート）の定義と中国における微型小説の定義を見てきたが、問題が残されているのはやはり短篇との違いがどこにあるか、ということである。字数が一つの目安となることは言うまでもないが、これについては日本では四百字詰原稿用紙で十五枚まで、中国では千五百字までと、一つの結論が出たと見てよいだろう。ただ、これだけでは境界線上にある作品を分類する際の決め手にはならない。そこでさまざまな比喩を用いて掌篇（微型）小説と短篇小説の違いを説明しようとする試みがなされた。都築道夫が一本の棒を使って長篇、短篇、ショートショートの違いを説明し、棒の切り口だけを示してその向こうに棒全体の長さを感じさせる覚悟の必要を説いたのは、言外の意、作品の空白、書きつくさない（短いから書きつくせない）ことという短い形式に必須の条件を指摘したものである。右遠俊郎が掌篇は人生の過渡の形を描くので、小説世界としての完結はないし、作中の人物も役割だけがあって実像がなくてもよい、としたのも正鵠を射た指摘である。長さは同じ位の作品をその描き方から超短篇と掌篇に分ける右遠の見解は、極めて示唆に富むが、長さが同じ位の短いものはやはりともに掌篇に入れてよいのではないかと思う。プロットが単一であるか、複雑であるかを微型小説と短篇小説を分かつ基準とする、という中国の論者の指摘は、中国における研究の成果を示すものと考えるが、具体的な作品で言えば「孔乙己」を短篇小説とし、「一件小事」を微型小説とする見解に賛成したい。「一件小事」を短篇小説とし、「永遠的胡蝶」を微型小説とする劉一東のプロットの分析はなかなか説得力があって面白いが、私はこの二作品はともに微型小説に入れたほうがよいと思う。右遠がその描き方によって分けた超短篇と掌篇とをともに掌篇に入れた方がよいとするのと同じ理由である。作品の長さ、字数も合わせて考慮に入れる必要があると考えるからである。

いわゆるショートショートの三原則は、作者が作品を書くときのひとつの心構えとしてはあってもよいと思うが、ジャンルの定義としてはすでに十分なものではないことが、中国でのこれをめぐる論議のなかで明らかにされていると考える。

注

1) 岡田三郎「コントの一典型」(『文藝日本』創刊号、大正十四年四月号)

2) 川端康成「短篇小説の新傾向」(『文藝日本』大正十四年六月号)

3) 中村武羅夫「三月の創作を機縁として」(『新潮』昭和四年四月号)

4) 小林多喜二「壁小説と『短い』短篇小説―プロレタリア文学の新しい努力」(『小林多喜二全集』第十巻、新日本出版社、一九六八年十二月、所収)

5) 中原弓彦「ショート・ショート作法」(『別冊宝石』ショート・ショートのすべて一九六一年七月号)

6) 『世界ショート・ショート傑作選』一、講談社文庫、昭和五十三年十一月、解説。

7) 「ショート・ショートのすべて―その本質とは」山川方夫、星新一、都築道夫の座談会、(『別冊宝石』前出、所載。)

8) 都築道夫「ショート・ショートをめぐって」(『都築道夫の小説指南』講談社ゼミナール選書、昭和五十七年九月。)

9) 右遠俊郎『こどもの目おとなの目―児童文学を読む』青木書店、一九八四年五月、二〇九頁―二一〇頁。

10) 孫犁「関于墻頭小説」(『耕堂雑録』河北人民出版社、一九八一年六月、七五頁)

11) 茅盾「短篇小説的豊収和創作上的幾個問題」(茅盾『鼓吹続集』作家出版社、一九六二年、一九頁)

12) 老舎「多寫小小説」(『新港』一九五八年二・三月号、所載)

13) 高鳳「小小説縦横談」(『作品』一九五八年第十四期、所載)

14) 人韋「談小小説」(『長春』一九五八年十二月号、所載)
15) 江曾培「微型小説初論」(『微型小説選』上海文藝出版社、一九八二年十二月所収。執筆は一九八一年八月)
16) 凌煥新「微型小説探勝」(『微型小説選』2江蘇人民出版社、一九八三年九月、所収。執筆は一九八三年八月)
17) 阿・托爾斯泰「甚麼是小小説」(『新港』一九六二年四月号、所載)
18) 許世傑選編『一九八四年中国小説年鑑―微型小説巻』中国新聞出版社、一九八五年八月。
19) 「微型小説評論小引」(江曾培編『世界華文微型小説大成』上海文藝出版社、一九九二年、所収)による。
20) 許世傑「微型小説名實談」(『世界華文微型小説大成』前出、所収)
21) 王朝聞「以小見大」(同前)
22) 古継堂「形式短、意義長―論台湾極短篇小説創作」(古継堂、胡時珍選編『台湾極短篇小説選』海峡文藝出版社、一九八六年十二月、所収)
23) 鄭賎徳『新聞与寫作』一九八五年第十一期、所載。
24) 劉誠錫「諷刺和幽默是小小説最重要的特色」(『世界華文微型小説大成』前出、所収)
25) 同前。
26) 林斤瀾「短中之短」(同前)
27) 彭志鳳「中国小小説尚處在嘗試階段」(『小小説選刊』一九八五年第五期、所載。)
28) 劉進賢「小小説創作断想」(『小小説選刊』一九八五年第四期、所載)
29) 峻青「精微處下功夫」(『小小説選刊』一九八五年第四期)
30) 于尚富、許廷鈞『小小説縦横談』文化藝術出版社、一九九一年、十七頁。

31）劉海濤『現代人的小説世界―微型小説寫作藝術論』上海文藝出版社、一九九四年、三一頁―三三頁。
32）楊暁敏、郭昕『中国当代小小説精品庫』春之巻、新華出版社、一九九六年十一月、前言。
33）袁昌文『微型小説寫作技巧』学苑出版社、一九八八年十二月、九頁。
34）于尚富、許廷鈞『小小説縦横談』前出、一三頁。
35）同前、一三頁。
36）同前、一三頁。
37）劉海濤『微型小説的理論與技巧』中国人民大学出版社、一九九〇年八月、三〇頁。
38）劉一東「論微型小説情節的審美特徴和審美功能」（『世界華文微型小説大成』前出、所収）
39）江曾培「山不在高　有仙則名」（『中外微型小説大展』上海文藝出版社、一九八八年、序文）
40）劉海濤『現代人的小説世界―微型小説寫作藝術論』前出、六頁―七頁。
41）于尚富、許廷鈞『小小説縦横談』前出、一四頁。
42）袁昌文『微型小説寫作技巧』前出、一三頁。
43）林斤瀾「短中の短」前出、七〇五頁。

第九章　名称とその由来について

第一節　さまざまな名称

ジャンルの成立の時期にさまざまな名称が生まれることは、一つの興味深い現象である。日本では大正末年の流行時にコント、二十行小説、十行小説、一枚小説、三枚小説、掌に書いた小説、掌篇小説、掌の小説などの名称ができ、このうちコントと掌篇小説及び川端康成が自分の作品を呼ぶときに用いた「掌の小説」の三つが生き残って戦前から戦後まで長い間使われた。その後一九五〇年代の末にショートショートという名称が新たに加わり、また近年になって超短編小説という呼び名がしばしば使われるようになっていることは、すでに述べたことである。中国においては一九二〇年代からあった小小説という名称が、一九五〇年代末に新しい形式の呼称として定着し、文革後の新時期になって微型小説という新しい名称ができたが、その外にも実に多くの呼び名のあることが確認されている。

于尚富、許廷鈞『小小説縦横談』は、一九八七年の末現在、二十六の名称があると指摘した後、「名称が多くあることは、この形式を人々が重視し、好んでいることの現れである。」としている。同書の挙げている名称は、以下のとおりである。必要と思われるものには（　）内に日本語訳を付けた。

（一）字数に基づく命名―千字小説或いは千字文、五百字小説、百字小説。

（二）読む時間を基にした命名―一分鐘小説（一分間小説）、半分鐘小説、一袋烟小説（一服する間の小説）、課間小説（授業の合間の小説）、快餐小説（ファーストフード小説）、瞬間小説。

（三）掲載の場所を基にした命名―報縫小説（新聞の埋め草小説）、墻頭小説。

（四）働きに基づく命名―微信息小説或いは微迅息小説（小情報小説）、新聞小説（ニュース小説）。

（五）構成の特徴を基にした命名―鏡頭小説（ショット小説）、攝影小説（撮影小説）、図文并茂小説（挿絵入り小説）。

（六）長さに基づく命名―短小説、極短篇小説、超短篇小説、短短篇小説、精短小説。

（七）形の特徴に基づく命名―掌上小説、袖珍小説。

（八）意味に基づく命名―小小説、微型小説。

江曾培によればさらに焦点小説、瞳孔小説、姆指小説（親指小説）、迷你小説（ミニ小説）などの呼称もある。[1]近年、微篇小説という名称がよいと主張する人もある。[2]過去には日本と同じ掌篇小説が使われたこともあった。台湾では花辺小説（コラム小説）、掌中小説という呼称もあるようである。ある文学辞典には、微観小説という名称も見られる（金振邦『文章体裁辞典』前出）。こうして挙げてみると優に三十を越える名称のあることが分かる。これらの中で使用頻度の高いのは、微型小説と小小説の二つである。次いで一分鐘小説（『北京晩報』は専らこれを用いている）と千字文（千字小説）が挙げられる。台湾では極短篇という名称がよく使われ、その長さは題も含めて千字以内と決められている。香港では迷你小説が使われている。多くの呼称があることは于尚富等の指摘するとおり盛況の反映と考えてよいだろう。

それぞれの名称が何時、誰によって使われるようになったかは、はっきりしている場合もあるし、そうでない場合もある。また、その由来が誤り伝えられているものもある。

以下で日本の掌篇小説という名称と中国の小小説という名称をとり上げて見てみたい。

第二節　掌篇小説という名称の由来

掌篇小説という名称の名付け親は、先に見たとおり中河與一であるが、いくつかの国語辞典の説明ではどうしたわけか、命名者は千葉亀雄となっている。一番新しい『広辞苑』（第五版）には、こう書かれている。

しょう―へん シャウ‥〔掌編・掌篇〕きわめて短い作品。――しょうせつ セウ‥〔掌編小説〕（千葉亀雄の命名という）短編よりもさらに短い小説の形態。〔掌の小説〕とも。

『日本国語大辞典』[3]と『角川国語大辞典』[4]の記述は、それぞれ次のようになっている。

しょうへん―しょうせつ《シャウヘンセウセツ》【掌編小説】【名詞】短編よりさらに短い小説の形式。機知に富んだ、軽妙な小品。フランスにおけるコントや二行小説にあたる。てのひらの小説。大正一五年（一九二六）に刊行された川端康成の『感情装飾』に収められている作品を、千葉亀雄が称したことばに基づく。（『日本国語大辞典』）

しょう・へん《しゃう》・・【掌編】コント。――しょうせつ《せう》【――小説】（川端康成の作品「感情装飾」に対する千葉亀雄の命名から）短編よりさらに短い小説。

（『角川国語大辞典』）

『広辞苑』を含めたこの三種の国語辞典は、表現に違いはあるものの、命名者を千葉亀雄とする点で共通している。これをどう考えたらよいのか。まず、千葉亀雄ではなく、中河與一とする根拠を改めて見てみることにしよう。

（二）掌篇小説の名付け親は中河與一

川端康成は大正一五年に発表した「掌篇小説の流行」という評論の中で、「掌篇小説とは『文藝時代』[5]が収録した新人諸氏の極めて短い小説に中河與一氏が冠した名稱である。」と述べている。この川端の言葉には、言うまでもないが、裏付けがある。

『文藝時代』大正十四年九月號は、短い小説を特集し、目次に〝掌篇小説〟というタイトルを刷り込むとともに、編集後記にこう記している。

今度の雑誌はなかなか新鮮な積りだ。「科學的要素の新文藝に於ける地位」といふ題目にしろ、「掌篇小説」の新しい試みにしろ、共に新文藝の尖端を明示するものと信ずる。……「掌篇小説」といふ名前は假につけたもので他意あるものではない。

この編集後記の執筆者は中河與一とされている。文中の「新しい試み」「名前は假につけたもの」という言葉は、掌篇小説という名称がたぶんこの時はじめて使われたことを示すものである。

中河は後年「掌篇小説」という言葉についてこう回想している。

「掌篇小説」という言葉は、『文藝時代』の第二巻九月號だったかに、久野豊彦、小宮山明敏、藤澤桓夫、加藤昌雄等の極めて短い小説を集めた時、それに名づけたのが始まりである。この後この言葉は時々出ているやうで、川端は「あれは中河の獨想である」と何かに書いたが實はチェホフの「自分は掌の中に書けるやうな美しい作品を書いてみたい」といふ言葉の中から取った。格別名付けたといふほどのことではないが、こんな言葉もあっていい氣がする。[6]

中河の言うチェーホフの言葉については、廣津和郎も新潮合評會でコントが話題になった時に言及したことがあった。中河が掌篇小説という言葉を思いつく数ヶ月前のことである。

廣津。チェホフといったやうな気持ち――掌の中に書き込める位の短篇を書いてみたいといったやうな気持ちはどの作家でもありはしないかと思ふ。[71]……

以上は当時の関係者の語る事実である。これによれば掌篇小説という名称は「中河與一がチェーホフの言葉にヒントを得て思いついたもの」としか考えようがないのである。以下で少し専門の研究者の意見を見ることにするが、いずれも川端の「掌篇小説の流行」を拠りどころにしている。

松阪俊夫「掌の小説―研究の序章―」には、こう書かれている。

「掌の小説」について、作者自ら記した「掌篇小説の流行」（大正一五・一『文藝春秋』）によれば、この名称は『文藝時代』が集録した新人作家のきわめて短い小説に中河与一氏の名づけたもので、それは『文藝春秋』に掲載された某氏の「掌の小説」から得た由である。某氏が誰であるかは、あらためて問う必要もあるまいが、大正一三年四月号と、八月号に、億良伸という人が「掌に書いた小説」を発表しており、この人の作品題名が直接は、「掌の小説」の名の起こりであろう。[8)]

長谷川泉「バッタと鈴虫」では、こうなっている。

掌の小説としては、康成自ら記した「掌篇小説の流行」によるのが便利である。それによってみるならば、掌篇小説の名付け親は、中河与一である。『文藝時代』が集録した新人たちのきわめて短い小説に冠された名称であった。そして、それは「掌に書いた小説」からヒントを得たものだという。[9)]

この二人の研究者は川端の「掌篇小説の流行」だけを資料としていて、中河が後に書いた文章を使っていないので、チェーホフの「自分は掌の中に書けるやうな美しい作品を書いてみたい」という言葉が、中河のヒントになったということには言及していない。

羽鳥徹哉「掌の小説」にはこう書かれている。

大正末年、コントの紹介に伴ってそういう短い小説の流行したことがある。中河与一は「掌篇小説」と呼び、『文芸時代』大正十四年九月号でその特集をした。川端も最初掌篇小説と呼んでいたが、処女創作集『感情装飾』（大正15・8）の目次に「掌の小説」と書いて以来、掌の小説と呼ぶようになり、……[10)]

以上三人の指摘はコント流行時の資料、とりわけ川端の「掌篇小説の流行」をもとにしているので、命名者として中河与一以外の名前は出てきようがないが、これが専門家の共通の認識である、と言ってよいのではないか。

そうであるのにどうして千葉亀雄を命名者とする説がでてきたのであろうか。

(二) 千葉亀雄命名者説をめぐって

一、新感覚派の命名者千葉亀雄

千葉亀雄(一八七八―一九三五)は、大正から昭和の初期にかけて活躍した評論家である。欧米諸国の文芸思潮、文学作品の紹介、文芸時評、社会時評等に健筆を振るった。

大正一三年(一九二四年)十月『文藝時代』が創刊されると、すぐ翌月に「新感覚派の誕生」という文芸時評を書き、文壇における新しい動きとしてこれを歓迎した。『文藝時代』の同人たちは、この呼称をやがて受け入れ、自らも新感覚派と名乗るようになった。現在、千葉亀雄という名前は、文学史に新感覚派の名付け親として記載されている。

二、掌篇小説の命名者とするのに否定的な資料

中河与一が掌篇小説という言葉を使ったのは、すでに見たように『文藝時代』大正十四年九月號に於いてである。千葉亀雄をその命名者とするには、それ以前に彼が掌篇小説という言葉をどこかで使っていなければならない。遡及する上限は、コント、二十行小説が文芸諸雑誌に

登場し、次第に注目を集める大正十三年のはじめ頃までである。つまり十三年のはじめから十四年九月ころまでの間の千葉亀雄の文章（座談会の記録も含む）の中に掌篇小説という言葉が出てこなければならないのである。

千葉は当時の売れっ子評論家で、諸雑誌に数多くの評論を書き、座談会等にもしばしば登場している。この一年余りの間に彼が書いた全ての文章に当たり切れていないが、『新潮』、『文藝春秋』、『文章世界』、『新小説』、『改造』、『中央公論』、『文藝時代』を見た限りでは、掌篇小説の命名者と特定するに足る文章は見つかっていない。

むしろ逆に間接的にではあるが、そうではなかったと思わせる資料の方が目につく。二つだけ例を見ることにする。

その一つはコントが論じられた二回の新潮合評會（『新潮』大正十三年十月號と同十四年五月號）である。千葉は二回とも出席しているが、彼を含め誰もコント以外の名称は使っていない。二回目の合評會では、先に紹介したように廣津和郎が「チェホフといったやうな氣持――掌の中に書き込める位の短篇を書いて見たいといったやうな氣持ちは……」という発言をしているが、もちろん掌篇という言葉は出てこない。

もう一つは『新潮』大正十四年九月號所載の「主観強調の文學を提唱す――文壇現状打破の一方面――」という千葉の評論である。『文藝時代』ではじめて掌篇小説という言葉が使われた同じ九月號である。この評論で千葉は新感覚派とコントの二つをとり上げて、次のように述べているのが、注目される。

ところで我国最近の藝術傾向の中で、新感覚派とコント文學とは、何れかと云へば主觀解放の種子をより多く宿したものであった。強ひて差別すれば、前者はより多く感性的に、後者はより多く理知的なものであるが、それが完成するには、どうしても自分の云ふ新主觀の要素の生長に待たねばならぬものである。……（中略）

コント文學もまた、明らかに主觀解放の一面である。ただ、我国の文壇は、自然主義派まで、知性感性を併せて、——いな、ことに知性主觀をあまり苛酷に押へ過ぎた。で、もしコントが成長するとすれば、恐らくこの傷められ過ぎた知性的主觀が完全に培はれるまで待たねばなるまい。

千葉はこの時点でもまだコントという名称に終始していて、掌篇小説という名称を使っていないことが分かる。千葉は果してこの時以前に掌篇小説という言葉を使ったことがあったのだろうか。もし彼が以前にどこかで使っていたのであれば、それを無視して、中河与一が「『掌篇小説』といふ名前は假につけたもので他意あるものではない」などと書くことはなかったであろう。また、その少し後に川端康成が「掌篇小説とは、……中河與一氏が冠した名稱である」と書くこともなかったのではないか。川端は「短篇小説の新傾向」（『文藝日本』大正十四年六月號）という評論では、千葉亀雄の主張に言及した時、きちんと名前を挙げているからである。

文壇はずっと以前から、短篇小説の文壇であったが、しかもほんたうの短篇小説らしい短篇小説が制作されるやうになったのは極最近のことである、と云ふやうなことを千葉亀雄氏が書いてゐた。……この場合千葉氏その他の諸氏が云ふ短篇小説とは、長篇の一部分と云ふ感じの全然ない短篇小説、長篇の手法と全然異った手法による短い小説であると云ふことは確かである。

三、新感覚派と掌篇小説

千葉亀雄が新感覚派とコントを関連させて論じていたことからも分かるように、大正末年のコント、掌篇小説の流行は、新感覚派の文壇への登場とほぼ平行する形ではじまっている。流行の先鞭をつけ、その推進に大きな役割を果たしたのは、岡田三郎である。岡田はフランスから帰朝後、コントを書き、コント風の短篇を提唱し、二十行小説を発表した。彼が創刊し、途中から武野藤介が編集を担当した『文藝日本』は、コントに多くのページを割いたが、執筆者の中に川端康成、中河與一、横光利一、加宮貴一等『文藝時代』の同人を見出すことができる。一方、新感覚派の雑誌『文藝時代』も、二十行小説や掌篇小説の特集をおこない、後に掌の小説と呼ばれるようになった川端の「短篇集」「第二短篇集」を掲載している。また同誌の文芸時評等で川端康成、石濱金作、伊藤永之介、赤松月船、橋爪健等が賛否両方の立場からコント、掌篇小説をとり上げ、論じている。『文藝時代』合評會第一回は、「コントに就いて」の一項を設けコントを論じた。

このように新感覚派とコント、掌篇小説の流行は、時代的にほぼ重なっているだけでなく、人の面でも重なり会うところが少なくなかったのである。

掌篇小説というジャンルは、このあと昭和四年中村武羅夫による小短篇の提唱[11]、昭和六年から七年へかけての壁小説のとりくみ、昭和三十年代半ばのショートショートの流行、と何度かの浮沈はあったが、大きく発展することはなかった。ジャンルそれ自体がとり上げられたことも殆どなく、研究らしい研究は川端の掌の小説の研究という形でしかおこなわれていないと言ってよいだろう。

こうした中でいつの間にか新感覚派の命名者である千葉亀雄を掌篇小説の命名者でもあるとする混同が生じたのではないだろうか。それが『広辞苑』以下三種の国語辞典の記述にまぎれ込んだ、というのが私の推測である。

(三)『広辞苑』の記述の変化

『広辞苑』第五版では、掌篇小説について（千葉亀雄の命名という）となっていることは、先に見たとおりである。

第四版（一九九一年）、第三版（一九八三年）の記述は、第五版と同じである。第二版（一九六九年）も同じであるが、項目の説明の末尾に「コント。」という一語が添えられていた。ところが第一版第一刷（一九五五年）では、こうなっていたのである。

しょう―へんシャウ・・〔掌篇〕きわめて短い作品。――しょうせつセウ・・〔掌篇小説〕（千葉亀雄の造語）短篇より更に短い小説。コント。

第一版では〝千葉亀雄の造語〞と書かれていた。それが第二版からは〝千葉亀雄の命名という〞というように、辞書の記述には珍しい、曖昧な、あたかも伝聞を伝えるかのような表現に変えられ、断定が回避されているのである。

これが何によるものか知るよしもないが、第二版から新たに編集に加わった近代文学担当の誰かが、〝千葉亀雄の造語〞と断定するに足る根拠を見出せぬまま、ひとまず〝千葉亀雄の命名という〞という表現に変えたのではないか。

文学辞典類で掌篇小説の命名者にふれているのは、かつては久松潜一他編『現代日本文学大事典』（明治書院、昭和四十年十一月）だけであったが、「その命名者は千葉亀雄とも中河与一とも言われる。」という、これまた辞典の記述としてはなんとも不思議な両論併記になっていた。これも『広辞苑』第二版以降と同じ状況をふまえた記述ではないかと思われる。

『日本国語大辞典』と『角川国語大辞典』の記述には『広辞苑』第二版に加えられたようなチェックさえなされていない、と考えたらよいと思う。

一九九四年に新しく出た『現代日本文学大事典』作品篇には「掌篇小説」の項目はなく「掌の小説」となっているが、その項は、次のように正確な記述に改められている。

掌の小説《たなごころのしょうせつ》　川端康成が愛用した小説の形式。掌に入りそうな短い小説の意。原稿用紙七枚前後を中心に短くて一枚余、長くて一六枚程度の作品。短い小説の流行は大正十二年フランスから帰った岡田三郎がコントを紹介、推賞したことから始まり多くの作家が手を染めた。大正十三年四月の「文芸春秋」に億良伸が「掌に書いた小説」を発表、大正十四年九月の「文芸時代」で中河与一が「掌篇小説」と名づけて短い小説を特集。川端も当初「掌篇小説」の名を用いていたが、第一創作集『感情装飾』（大15）の扉に「掌の小説三十六篇」と書いて以後、次第に「掌の小説」の名を用いるようになった。……（羽鳥徹哉[12]）

必要な情報をきちんと盛り込んだ、簡にして要を得た説明である。これが専門の研究者の間での定説と考えてよいと思う。この説明と命名者を千葉亀雄とする説とは両立しがたい、と考える。

国語辞典では『大辞泉』（小学館）が命名者を中河与一と正確に記しているが、これは同辞典の編集者にたまたま指摘する機会があって、訂正されたからである。

第三節　小小説というジャンル名

小小説という名称は、現在微型小説と並んで最もよく使われるジャンル名である。作品集のタイトルにもよく見かける。専門誌でいちばん発行部数の多いのは『小小説選刊』であり、それと肩をならべるのは『微型小説選刊』である。短い作品を書く業余作家（仕事をもつ傍ら小小説を書いている人）は〝小小説専業戸〟と呼ばれている。その人たちがジャンル名として好んで口にするのは、どちらかといえば小小説の方で、微型小説の方は学会や会合の名称、専門書のタイトルなどあらたまった場合に使われることが多いようである。微型小説という名称は一九八〇年代の始めに出来たものだが、小小説の方はそれよりはるかに長い歴史をもっている。

一般に小小説という名前は、一九五〇年代末に短い作品が多数書かれた時に用いられたジャンル名として記憶されているようだ。文学辞典類での説明もたいていそれを意識して書かれている。一九五〇年代末の小小説を概括した茅盾の評論を引用したり、それに言及している。例えば次のように茅盾の評論を要約、引用し、出典を記しているものもある。

【小小説】小説のジャンルの一つ。短篇小説、ルポルタージュと微型小説の中間にあるもの。短くひきしまっていて、社会生活の中のもっとも新しい人物の風貌、その共産主義的な思想性を描くのに使われ、革命的ロマンティシズムの色合いをもつ。茅盾「短篇小説の豊収と創作上のいくつかの問題」にこうある・・「これらの作品の素材は我われの燦然と沸き立つような生活の中に時々刻々現れる実在の人物、実際の出来事であるが、主として実在の人物、実際の出来事を基にしたルポルタージュとは異なる。それは比べればすぐ分かることだ。その一・・〝小小説〟のストーリーはごく簡単なもので、場合によってはストーリーはなくてもよいし、人物の或る状況におけるちょっとした行動でもよい。その二、だがそういう〝ショット〟こそ、人物の品性と精神にあり方を描き出すのだ。そのストーリーが全くの虚構ではないという点から言えば、これらは短篇小説の創作過程とは異なる。だが、その人物が実在の人をそのまま描いたものではないが、実在の人よりより概括性に富むという点では、一般の〝ルポルタージュ〟とも異なる。……〝小小説〟は通常簡潔な手法と生きいきとして鮮明な文章をもつ。これはわが民話の優れた伝統を発展させたものである。小小説に民族的風格の大作の萌芽が見て取れる。(『鼓吹集続集』)」

——『文章体裁辞典』13)

次のものも、茅盾という名前は出していないが、その評論を基にしたものである。

小小説　小説の一種で、微型小説ともいう。短篇小説より短く、描く生活の容量も小さく、プロットは単純であるから、時を移さずに現実を描くことができる。新しい人新しい事件を描くことを主とし、生活の激流の中の一、二の断片を切り取り、一、二の人物、若干の場面、いくつかのエピソードを描くことによって、時を移さず社会生活を反映する。……小小説はこれまでにもあったが、短篇小説の一種に分類していた。一九五八年に小小説が大量に現れてから、〝自ずと個性をもった新しい品種〟と認めた人があって、別の一種に分けられた。

——『簡明文学知識詞典』14)

新しいジャンルとして認知されたのは、この辞典の記述にも見られるように一九五〇年代末のことであり、小小説という言葉からはすぐこの時代が想起されるが、言葉自体はかなり以前からあったことが、いろいろな資料によって確認できる。例えば、『中国現代文学期刊目録匯編』上、[15]を見ると、商務印書館発行の雑誌『小説世界』の一九二三年から二五年にかけての目次に時々（小小説）という説明のある作品が載っている。抜き出してみると、以下のようになる。

奢華的背影（小小説）（埋め草）―陳于徳（第三巻第一期、一九二三年七月六日）
游子夢（小小説）―馮六（第三巻第十期、同年九月七日）
恋愛的真義（小小説）（埋め草）―周寿農（第四巻第三期、一九二三年十月十日）
文王（百字小小説）（埋め草）―馮六（第五巻第八期、一九二四年二月二二日）
犬和猪（小小説）（埋め草）―陳于徳（第六巻第八期、一九二四年五月二三日）
她（小小説）（埋め草）―愛吾（第七巻第四期、一九二四年七月二五日）
病（小小説）（埋め草）―周寿農（第十一巻第十一期、一九二五年九月十一日）
一団和気的家庭（小小説）―鳩伊阿氏著、績蓀訳（第十二巻第八期、一九二五年十一月二十日）

これを見ると一九二三年にすでに小小説という言葉があったことがわかる。『小説世界』を繙いてみると、ほとんどが埋め草として書かれているため、だいたいが二、三百字の極く短いものである。『小説世界』は、同じ商務印書館発行の『小説月報』が一九二〇年茅盾によって編集されるようになって以後、性格を変えて「文学研究会」の機関誌的役割を果たすようになったため、一九二三年に鴛鴦蝴蝶派の作家達のために新たに発刊された雑誌である。主な執筆者は包天笑、李涵秋、胡寄塵、程小青、何海鳴などその派の文人達であった。外国文学の翻訳を重視し、チェーホフ、モーパッサン等の短篇小説、デュマ・フィス「椿姫」の台本等を翻訳している。それらの翻訳は、一つの成果と評価されている。日本の作家では国木田独歩の「運命論者」「非凡なる凡人」「馬上の友」などが訳されている。

なお、前記の目録で見たかぎりでは『小説月報』『文学周報』など同じ商務印書館発行の雑誌をはじめ当時のその他の雑誌に小小説という言葉は見られない。

『中国文学大辞典』[16]によれば一九二三年八月に『小小説選』という本が、周痩鵑の編纂で上海の大東書局から出版されている。同書には陳痩鵑「等」、陳冷血「情的落空」、駱天涯「清暁」、江紅蕉「私生子」、天虚我生「半月夫婦」、包天笑「病了」、沈禹鐘「殯地」など二十篇の小小説が収められているとのことである。それらの小小説は、普通の家庭における浮沈、喜びと悲しみ、若い男女の恵まれない運命を描いたものであるらしい。

このころすでに小小説という言葉があったということは、その由来は今のところ不明であるが[17]、日本のコント、掌篇小説とほぼ同じかそれよりも長い歴史をもつ言葉ということになる。

1) 江曾培「世界華文文壇的一次整合―『世界華文微型小説大成』序（江曾培『微型小説面面観』百花洲文藝出版社、一九九四年一月、一〇一頁）

2) 第二回世界華文微型小説研討会に於ける韓英「名称―微篇小説」、姚朝文「従民族模式的角度管窺当代世界微型小説的詩学範型」の二論文は、名称は「微篇小説」がよいとしている。

3) 『日本国語大辞典』第十巻、小学館、昭和四十九年七月。一巻本の『国語大辞典』小学館、昭和五十六年十二月、の「掌篇小説」の項の説明は、末尾のみ前者と若干異なる。「たなごころの小説。大正一五年に刊行された川端康成の作品を、千葉亀雄が命名したのに基づく。」となっている。

4) 『角川国語大辞典』時枝誠記、吉田精一編、角川書店、昭和四十八年十二月。同じ編者による『角川国語中辞典』（同年同月発行）の説明も同じである。

5) 『文藝春秋』大正十五年一月號。

6) 中河與一『左手神聖』第一書房、昭和七年。引用は『中河與一全集』第十一巻、角川書店、昭和四十二年八月、による。

7) 『新潮』大正十四年五月号。

8) 『川端康成作品研究』長谷川泉編著、八木書店、昭和四十四年三月、所収。

9) 『川端康成論考』増補三訂版、長谷川泉著、明治書院、昭和五十九年五月、所収。

10) 三好行雄編『川端康成作品論事典』（『国文学―解釈と教材の研究』昭和六十二年十二月号、所収）

11) 中村武羅夫「三月の創作を機縁として」（『新潮』昭和四年四月號）

12) 『現代日本文学大事典』作品篇、三好行雄他編、明治書院、平成六年六月。

13) 金振邦編『文章体裁辞典』東北師範大学、一九八六年六月。なお、この辞典には、「微型小説」の項もある。一九八〇年代以降に書かれるようになった新しい作品を指し、五〇年代末の小小説とは別のものとして説明されている。

14) 西北師範学院中文系文藝理論教研室編『簡明文学知識詞典』甘粛人民出版社、一九八五年十月。

15) 『現代中国文学期刊目録匯編』上下、陳荒煤主編、天津人民出版社、一九八八年九月。

16) 『中国文学大辞典』第二巻、馬良春、李福田総主編、天津人民出版社、一九九一年十月。

17) 「小小説」というジャンル名の由来は、これまでのところわかっていない。いろいろな言葉の由来を収めた『万事由来詞典』（李洪濤主編、華文出版社、一九九三年五月）という便利な辞典も「もっとも早くはアメリカで始まった。」として、アメリカにおけるショートショートの由来を説明しているが、中国のことには触れていない。

あとがき

大学生の時川端康成の『掌の小説百篇』上下（新潮文庫）に収められた短い小説を一つづつ楽しみながら読んだ記憶がある。掌の小説は深く印象に残ったし、その後もいくつかの作品は読みかえす機会があったが、本全体をくり返し読むことはしていないので、愛読書の一つに挙げることは出来ない。手元にある新潮文庫の奥付けをみると、上巻は昭和三十年七月、七刷、下巻は同年同月、六刷となっている。解説は伊藤整が書いている。それも読んだ筈なのに、記憶に残っていない。当時は短い形式そのものには関心はなかったのだと思う。

十数年前から中国関係の書店に入荷する『微型小説選』という類の本を少しづつ集めはじめた。最初は中国語の教材に使えるのではないかと考えたからだった。ぼつぼつ読んでみると、なかなか面白い作品もある。『文学評論』等にも評論が載るようになり、『小説界』をはじめ微型小説、小小説を載せる雑誌、新聞の所在もわかってきた。そういえば一九五〇年代の終わりに茅盾がたしか小小説について評論を書いていた、ということも思い出して、『人民文学』の古いバック・ナンバーを引っ張りだして、読んでみたりもした。こうしてだんだん文学作品として微型小説を読むようになり、一九八六年に最初の論文「『微型小説』序論」（『駒澤大學外国語部論集』第二十四号、所載）をまとめた。そのとき日本における状況にもふれたが、十分にはわからないところがあったので、これも研究対象とするようになった。

以来、十年あまりの間に調べては文章にして、結局十数篇の論文や評論を書いた。中国の微型小説を訳して同人雑誌に載せてもらったら、幸い好評だったので、総計二百篇近くの作品を翻訳した。同人雑誌『浮標』にいちばん多く載せてもらったが、中国語の学習雑誌『中国語』（内山書店発行）や作家岳真也氏が三田誠、笹倉明の両氏とともに出されている文芸誌『二十一世紀文学』、そしてひあさともよし氏が個人で出された『短篇・掌篇の世界』などにも発表させていただいた。また、微型小説を教材とした中国語の中級テキストを二冊編集し、出版した。

一九九四年と九六年にシンガポールとバンコックで開かれた世界華文微型小説研討会に参加し、中国をはじめシンガポール、マレーシア、タイ、インドネシア、香港、台湾などの作家、研究者と交流することができた。そういう機会に著者から贈られたり、後で送っていただいたり、また購入したりした微型小説の作品集、研究書が百数十冊にもなる。これらのうちかなりの作品、研究論文、研究書をこれまでに読み、その一部は翻訳もしているが、このすべてに目を通し、さらに研究を進めるにはまた何年もの日時が必要である。今回は今までに書いた論文、中国の作家、研究者の書いた評論等の翻訳などをもとに、この小著をまとめた。私の関心が主に中国と日本におけるジャンルとしての発展、展開と相互の交流がどうであったか、というところにあったため、具体的な作品を論ずることよりも、ジャンルの周辺のことに終始した嫌いがある。

作品に立ち入っての本論は今後の課題ということで、序論と題した所以は、まえがきで述べたとおりである。

本にするに当たって削ったり、書き直したり、かなり手を入れたが、各章に該当する初出は以下のとおりである。

序章　「當代日中兩國微型小說的發展及其特色」（司馬攻編『世界華文微型小說論文集―第二回世界華文微型小說研討會』泰國華文作家協會、泰華文學出版社、一九九七年五月）

第一章　「中国の微型小説について」（『季刊中国』NO. 37. 一九九四年夏季号、一九九四年六月、季刊中国刊行委員会。

「凌鼎年『発展のさなかにある小小説―小小説創作状況のスケッチ』」（『長崎大学教育学部人文科学研究報告』第五十二号、平成八年三月）

「江曾培『世界華文微型小説大成』」（『名古屋外国語大学紀要』第八号、平成五年七月）

第二章　「微型小説前史―菊池寛『短篇の極北』と郭沫若『他』（『彼』）」（『名古屋外国語大学紀要』創刊号、一九八九年十月）

第三章　「近現代日本の掌篇小説―中国のそれとの関係を含めて」（『名古屋外国語大学紀要』第七号、一九九三年一月）

第四章　「墻頭小説（壁小説）と小小的短篇（短い短篇）について」（『名古屋外国語大学紀

要』第四号、平成三年七月）

第五章　「一九五〇年代末の小小説」（『國學院中國學會報』第四十一輯平成七年十二月）

第六章　「近現代日本の掌篇小説—中国のそれとの関係を含めて」（前出）

第七章　「新時期微型小説の成熟」（『野草』四十五号、一九九〇年二月、中国文芸研究会）

第八章　「微型小説的新動向—微型小説体裁的完善及其作品的系列化—」（『明海大学教養論文集』NO. 10. 一九九八年一二月）

第九章　「中国の微型小説について」（『季刊中国』NO. 37. 前出）

「微型小説の定義」（『長崎大学教育学部人文科学研究報告』第五〇号、平成七年三月）

「掌篇小説という名称の由来」（『國語と教育』第一九号、長崎大学国語国文学会、平成六年九月）

以上である。

小著を出版するにあたって、白帝社の伊佐順子さんに相談にのっていただいた。

著　者

を掲げた。

その後、1992年5月に刊行された『世界華文微型小説大成』（江曾培主編、上海文藝出版社）に、附録として「微型小説著訳書目」と「微型小説評論小引」が収められた。前者には中国だけでなく台湾、シンガポールの作家の個人の選集42種、1950年代末の小小説選集7種、新時期（文革後）に出版された選集（台湾、シンガポールの作家の作品、外国の作家の作品の翻訳も含む）47種、理論研究書7種の計103種が挙げられている。後者には1950年代から60年代にかけて書かれた評論18篇、文革後に書かれた評論285篇の題目が掲げられている。いずれも1990年末までのものが収録されているが、書目の方には一部91年に刊行されたものも含まれている。

1989年に私が作成したものより単行本、評論とも二倍以上のものが収められていて、自国での資料収集の強みを思い知らされるが、それでも遺漏は免れないようである。

例えば1990年末までに出版されたもので私の手元にあってこの書目に入っていないものが、中国で刊行されたものに限っても11種ある。前記所蔵書目のうち＋を付したものである。また、1950年代から1960年代にかけて出版された小小説集は、私が『全国総書目』等で調べたところでは、7種ではなく20種であった（「1950年代末の小小説」『國學院中國學會報』第四十一輯、平成七年十二月）。

1950年代から60年代にかけて発表された小小説に関する評論は、私が18種の雑誌新聞及びその他の資料によって調べたところでは、18篇ではなく、52篇を数えた（同前）。

「微型小説評論小引」の挙げる新時期の評論285篇と私が89年に確認した109篇とで、重ならないものがかなりの数にのぼる。「小引」の方にもかなり落ちているものが見受けられるのである。資料作りの難しさを感じる。比較的完備した関係資料を作るにはあらためて時間をかける必要があると考えている。はじめに用意がないと述べたのは、そういうことで、後日を期したいと思う。

1999年11月

公司、1994年11月
185）古今対照古代経典微型小説－神話志怪篇、譚令仰注譯、中国人民大学出版社、1995年2月

4、研究書、理論書
186）小小説的寫作與欣賞、丁樹南編譯、純文學出版社有限公司、中華民国56年6月
187）微型小説寫作技巧、袁昌文、学苑出版社、1988年12月
188）微型小説的理論與技巧、劉海濤、中国人民大学出版社、1990年8月
189）小小説縦横談、于尚富、許廷鈞、文化藝術出版社、1991年5月
190）規律與技法－微型小説藝術再論、劉海濤、新加坡作家協会、1993年10月
191）微型小説面面観、江曾培、百花洲文藝出版社、1994年1月
192）主体研究與文体批評、劉海濤、新疆大學出版社、1994年1月
193）現代人的小説世界－微型小説寫作藝術論、劉海濤、上海文藝出版社、1994年3月
194）叙述策略論、劉海濤、新加坡作家協会、1996年7月
195）世界華文微型小説論－首届世界華文微型小説研討会論文集、Unipress，1996年
196）世界華文微型小説論文集－第二届世界華文微型小説研討會、主編司馬攻、泰國華文作家協会、1997年5月

以上

なお、1980年から1988年末までの「新時期微型小説関係資料」を10年ほど前に雑誌『野草』45号（中国文芸研究会、1990年2月刊）に発表した。手持ちの資料を補うために、(1)『全国総書目』（1980年から1985年）、(2) 復印報刊資料『中国現代、当代文学研究』（1980年から88年、但し84年は除く）、(3) 復印報刊資料『文藝理論』（1980年から88年）を参照した。当時は中国でもこういうものは作られていなかった筈である。

1、単行本、2、雑誌掲載評論など（単行本に収められたものも含む）からなり、1には、A、多くの人の作品を収めた選集（外国の作品の翻訳、現代の作品、訳注書なども含む）29種、B、一人（二人）の作者の作品集6種、C、台湾、香港の作品3種、D、研究書1種の、計39種を挙げ、2には計109篇の評論、論文

159）公元2050年、懐鷹、同上、1993年
160）学府夏冬、黄孟文、中国文聯出版公司、1993年5月
161）木雕与我、張揮、新加坡作家協会。1994年1月
162）驚變（陳博文微型小説集）、陳博文、八音出版社、1995年12月
●日本の作家の翻訳
163）極短篇⑤、川端康成巻、聯合報社、中華民国71年12月
164）掌中小説、川端康成著、梁恵珠譯、星光出版社、中華民国76年3月
165）中日對照盗賊会社、星新一著、李朝熙譯、鴻儒堂出版社、中華民国78年6月
166）川端康成掌小説百篇、葉渭渠、生活・讀書・新知三聯書店、1989年12月
167）川端康成文集、掌小説全集、葉渭渠訳、中国社会科学出版社、1996年4月

3、その他
●注釈・注音・中日対訳など
168）一分間小説選中日対訳・扉ごしの対話、韓冬他、人民中国雑誌社、1984年7月
169）漢語注釈讀物・一分鐘小説選注、李大忠選注、北京語言学院、1987年4月
170）中国ショートショート集、第一集、本社編、外文出版社、1991年
171）中国ショートショート集、第二集、同上
172）中国ショートショート集、第三集、同上
173）中国ショートショート集、第四集、同上
174）中国ショートショート集、第五集、同上
175）中国ショートショート集、第六集、同上
176）中国ショートショート集、第七集、同上
●古典の分野の作品のアンソロジー、現代語訳、書き換えも含む
177）古典小小説（第一集）、謝武彰編寫、民生報社、中華民国72年10月
178）古典小小説（第二集）、同上、中華民国73年5月
179）古典小小説（第三集）、同上、中華民国74年4月
180）中国古典小小説譯萃、第一輯、中州古籍出版社、1986年1月
181）歴代微型小説選、王金盛編、中国文聯出版公司、1989年10月
182）中国古代微型小説鑑賞辞典、主編楽牛、中国婦女出版社、1991年6月
183）歴代微型小説欣賞、侯剛、張宏淵編著、作家出版社、1992年1月
184）漢英対照中国歴代微型小説一百篇、馬家駒編譯、商務印書館（香港）有限

129）小小江山、苦苓、希代書版有限公司、中華民国76年4月
130）出去喫麵、小魚、漢藝色研文化事業有限公司、中華民国76年5月
131）愛亜極短篇、愛亜、爾雅出版社有限公司、中華民国76年5月
132）鍾玲極短篇、鍾玲、同上、中華民国76年7月
133）雷驤極短篇、雷驤、同上、中華民国76年11月
134）我和春天有約、宋晶宜、漢藝色研文化事業有限公司、中華民国76年12月
135）袁瓊瓊極短篇、袁瓊瓊、爾雅出版社有限公司、中華民国77年2月
136）羅英極短篇、羅英、同上、中華民国77年5月
137）喩麗清極短篇、喩麗清、同上、中華民国77年11月
138）陳克華極短篇、陳克華、同上、中華民国78年1月
139）愛人天下、苦苓、希代書版有限公司、中華民国78年3月
140）邵僴極短篇、邵僴、爾雅出版社有限公司、中華民国78年5月
141）陳幸恵極短篇、陳幸恵、爾雅出版社有限公司、中華民国79年7月
142）浪漫王国、苦苓、希代書版有限公司、中華民国79年9月
143）衣若芬極短篇、衣若芬、爾雅出版社有限公司、中華民国80年11月
●香港の作家のもの
144）李英豪迷你小説、第一集、李英豪、博益出版集団有限公司、1987年5月
145）今夜又有雨、林蔭、明窗出版社、1991年5月
146）阿濃小小説、阿濃、大家出版社有限公司、1993年
147）校園小小説、唐羚、次文化有限公司、1995年7月
●東南アジアの作家のもの
148）年歳的歯痕、南子、新加坡潮州八邑会館文教委員会出版組、1987年5月
149）掌上驚雷、洪生、勝友書局、新加坡作家協会聯合出版、1988年6月
150）陳政欣的微型、陳政欣、棕櫚叢書12、1988年11月
151）45．45会議秘密、張揮、新加坡作家協会、1990年3月
152）我不要勝利、林錦、新亜出版社、1990年
153）安楽窩、黄孟文、新加坡作家協会・新亜出版社聯合出版、1991年2月
154）搶刧、周粲、新亜出版社、1990年
155）猫的命運、林高、新加坡作家協会・新亜出版社聯合出版、1991年1月
156）小小説、陳彦、勝友書局、1991年10月
157）十夢録、張揮、新加坡作家協会、1992年3月
158）生命里難以承受的重、希尼尔、新加坡潮州八邑会館文教委員会出版組、1992年8月

97）巴巴拉拉之犬、司玉笙、同上
98）魔橱、劉連群、同上
99）逝去的歳月、楊奇斌、春風文芸出版社、1991年6月
100）怪圏、倪淵、中国広播電視出版社、1991年12月
101）白小易微型小説100篇、白小易、春風文藝出版社、1992年3月
102）無法講述的故事、張記書、廣西民族出版社、1992年9月
103）苦渋的黄昏、許行、同上
104）永遠的門、邵宝健、同上
105）粉紅色的信箋、沈祖連、同上
106）加尓各達草帽、王奎山、同上
107）江南回回、沙黽農、同上
108）耀眼的紅裙子、唐銀生、同上
109）飄飛的蝴蝶、李江、同上
110）風波未平、刑可、同上、1992年10月
111）今夜零点地震、生暁清、同上
112）酔夢、張記書、長城書社出版公司、1993年8月
113）邀舞者、沈祖連、香港長城書社、1993年8月
114）情書曲、許行、北方婦女児童出版社、1993年9月
115）許行小小説選評、許行、時代文藝出版社、1993年9月
116）相対一笑、劉心武、中共中央党校出版社、1994年2月
117）秘密、凌鼎年、海南国際新聞出版中心、1994年5月
118）其実我也這麼想、謝志強、海南国際新聞出版中心、1994年5月
119）沈祖連微型小説108篇、百花洲文藝出版社、1995年6月
120）許行小小説、許行、湖南文藝出版社、1997年3月
121）孫方友小小説、孫方友、同上
122）凌鼎年小小説、凌鼎年、同上
123）劉国芳小小説、劉国芳、同上
124）王奎山小小説、王奎山、同上
125）謝志強小小説、謝志強、同上
126）生暁清小小説、生暁清、同上
127）呉金良小小説、呉金良、同上
128）生死恋、許行、時代文藝出版社、1997年4月
●台湾の作家のもの

73）極短篇③、蔡羅東等、同上、中華民国71年7月
74）極短篇④、宋仰原等、同上、中華民国72年5月
75）極短篇⑥、狂鞋、張春栄著、同上、中華民国79年3月
76）爾雅極短篇、隠地編、爾雅出版社有限公司、中華民国80年2月
●香港の作家の作品を収めたもの
77）香港小小説選、桑妮編、緑洲出版公司、1986年9月
78）迷你小説選、容川編、金陵出版社、1987年4月
79）明報小小説選、明報出版社編、明窗出版有限公司、1996年4月
●東南アジアの華文作家の作品を収めたもの
80）幸福出售－新加坡微型小説選、主編賀蘭寧、泛太平洋出版私人有限公司、1990年1月
81）海那辺中国人－東南亜華文作家微型小説導読、廖懐明編著、南海出版公司、1992年9月
82）微型小説万花筒、周粲編、新加坡作家協会・大地文化事業公司聯合出版、1994年3月
83）赤道綫上的神話－新加坡微型小説選、新加坡文藝協会編、中国文聯出版公司、1994年12月
84）泰華微型小説集、主編司馬攻、泰國華文作家協會、1996年7月

2、個人のアンソロジー
●中国当代作家のもの
85）太陽鳥、鄧開善、上海文藝出版社、1988年8月
86）市井奇人、木樺、上海三聯書店、1988年12月
+87）美人魚的期待、鮑昌、作家出版社、1989年3月
88）怪夢、張記書、花山文藝出版社、1989年3月
89）野玫瑰、許行、作家出版社、1989年6月
90）芸斎小説、孫犁、人民日報出版社、1990年1月
+91）煉獄和天堂、馬力、中国旅游出版社、1990年12月
92）温情脈脈、白小易、広西民族出版社、1991年4月
93）再年軽一次、凌鼎年、同上
94）誘惑、劉国芳、同上
95）不泪人、程世偉、同上
96）女匪、孫方友、同上

47）世界華文微型小説名家名作叢編、欧美巻、王渝主編、同上
48）中国小小説精品庫、春之巻、楊暁敏等主編、新華出版社、1996年11月
49）中国小小説精品庫、夏之巻、同上
50）中国小小説精品庫、秋之巻、同上
51）中国小小説精品庫、冬之巻、同上
52）＊部長的小猪、中外微型小説鑒賞、張光勤等主編、社会科学文献出版社、1998年2月
53）＊我想当一匹馬、中外微型小説鑒賞、同上
54）＊古九谷瓷瓶、中外微型小説鑒賞、同上
55）＊最佳配偶、中外微型小説鑒賞、同上
56）＊一枚古金幣、中外微型小説鑒賞、同上
●現代の作家の作品を収めたもの
57）現代微型小説精選、周安平等編、広西人民出版社、1987年10月
+58）中国現代微型小説選、葛巧福選編、学林出版社、1989年5月
59）出閣、中國現代小説極短篇1、葛乃福主編、漢光文化事業股分有限公司（台湾）、民国81年1月
60）綉枕、中國現代小説極短篇2、同上
●外国の作家の作品の翻訳を収めたもの
61）外国微型小説選、応天士主編、中国文藝聯合出版公司、1984年7月
62）微型小説選（4）－外国微型小説専輯、王臻中等編、江蘇人民出版社、1984年8月
63）日本掌中小説選、李永熾譯、圓神出版社、中華民国75年9月
64）微型小説選（7）－外国微型小説専輯、王臻中等編、江蘇文藝出版社、1986年6月
65）瞬間集、世界極短篇、楊月孫譯、圓神出版社、中華民国77年2月
66）日本推理小説極短篇精選、林敏生譯、林白出版社有限公司、82年5月
67）世界微型小説薈萃300篇、東野茵陳編選、百花文藝出版社、1992年3月
68）微型小説精選、前蘇聯巻、小愛編、中華工商聯合出版社、1996年4月
69）微型小説精選、外国巻、同上
●台湾の作家の作品を収めたもの
70）台湾極短篇小説選、古継堂等選編、海峡文藝出版社、1986年12月
71）極短篇①、陸正鋒等、聯合報社、中華民国68年3月
72）極短篇②、王廣仁等、同上、中華民国69年4月

21）＊中外名家微型小説大展、小説界編集部選編、上海文藝出版社、1989 年 2 月
+22）百字小説、沈宛富編、春風文藝出版社、1990 年 4 月
+23）悠悠棗花香、張志徳等編著、中国文聯出版公司、1989 年 6 月
24）機器人“瘋狂症”－一分鐘科幻小説、黄天祥等編、中国青年出版社、1990 年 6 月
25）大陸小小説選、第一集、主編馮驥才、新亜洲出版社（香港）、1990 年 7 月
+26）＊中外微型小説鑑賞辞典、主編張光勤等、社会科学文献出版社、1990 年 11 月
+27）中国微型小説選、白小易編、春風文藝出版社・遼寧教育出版社、1990 年 12 月
28）名人千字文小説卷、何東平等編、海燕出版社、1991 年 2 月
29）那団雲霧、1985－1988 全国優秀小小説賞析、王保民編著、広西民族出版社、1991 年 4 月
30）中國當代小小説精選、主編馮驥才、新亜洲出版社（香港）、1991 年 7 月
31）精彩的一分鐘小説、成志偉主編、中国旅游出版社、1991 年 10 月
32）＊世界華文微型小説大成、江曾培主編、上海文藝出版社、1992 年 5 月
33）＊中外微型小説美欣賞、王国全等編、花城出版社、1992 年 9 月
34）酔人的春夜、劉憶芬編、中國文學出版社、1993 年 12 月
35）掲不開的紅蓋頭－中国微型小説選萃、時事出版社、1994 年 7 月
36）微型小説精選、城市巻、小愛主編、中華工商聯合出版社、1996 年 4 月
37）微型小説精選、農村巻、同上
38）微型小説精選、愛情巻、同上
39）微型小説精選、幽默巻、同上
40）微型小説精選、荒誕巻、同上
41）微型小説精選、驚険巻、同上
42）微型小説精選、歴史伝奇巻、同上
43）微型小説精選、台湾巻、同上
44）世界華文微型小説名家名作叢編、中国巻、江曾培主編、上海文藝出版社、1996 年 10 月
45）世界華文微型小説名家名作叢編、台港澳地区巻、隠地、劉以鬯編、同上
46）世界華文微型小説名家名作叢編、新馬泰巻、黄孟文、孟沙、司馬攻編、同上

微型小説関係書目

一九八〇年代初め以来の盛況を反映して数多くの作品集、研究書が出版されている。全てを網羅する用意がないので、手元に所蔵するものだけを掲げる。専著のみをとり、他のジャンルの作品も収めているもの、他のジャンルに関する論文を含む著作は省いた。

通し番号の前の＋印については、末尾でふれる。

1、複数の作家の作品を収めたアンソロジー

●当代の作家の作品を収めたもの。但し＊のあるものは外国の作家のもの、古典、現代の作家のものも含む。

1）微型小説選、本社編選組編、上海文藝出版社、1982年12月
2）＊微型小説選（1）、本社編、江蘇人民出版社、1983年1月
3）微型小説選（2）、凌煥新等編、江蘇人民出版社、1983年9月
4）微型小説選（3）、凌煥新等編、江蘇人民出版社、1984年3月
5）微型小説選（5）、凌煥新等編、江蘇人民出版社、1985年1月
6）微型小説選（6）、凌煥新等編、江蘇文藝出版社、1986年3月
7）全国微型小説精選評講集、卜方明編、学林出版社、1985年5月
8）＊全国微型小説精選評講集続集、卜方明編、学林出版社、1987年6月
+9）1984中国小説年鑑微型小説巻、中国新聞出版社、1985年8月。
10）一分鐘小説一百篇、燕山文藝叢書、中国文聯出版公司、1986年1月
11）微型小説集、小小説選刊編集部編、中国文聯出版公司、1986年1月
12）中國當代微型小説選、陳定安編、中流出版社有限公司（香港）、1986年5月
13）諷刺微型小説60篇、韋暁編、上海文化出版社、1986年6月
14）茉莉香茶（一分鐘小説選）、孫雁行編選、文化藝術出版社、1986年6月
15）千字小説徴文選、中国青年報文化生活部編、中国文聯出版公司、1986年10月
16）＊微型小説一百篇、孟偉哉等編選、貴州人民出版社、1987年8月
17）微型諷刺幽默小説、易希高、韓明著、作家出版社、1988年2月
+18）法制微型小説選、劉漢林等編、中国人民公安大学出版社、1988年5月
+19）微型小説薈萃、楽牛等編著、農村読み物出版社、1988年12月
+20）送你一束玫瑰花－微型小説精選、武漢晩報編、中国文聯出版公司、1989年3月

人名索引

事項索引

付　録

渡邉晴夫　わたなべ・はるお
著者略歴
1936年2月2日生まれ。東京外国語大学中国語科卒業。東京大学文学部中国文学科卒業。東京大学大学院人文科学研究科修士課程終了。中国語中国文学専攻。都立高校教諭、名古屋外国語大学外国語学部助教授、同教授、長崎大学教授、同大学院教授を経て、現在國學院大學文学部教授。駒澤大学、東海大学、中央大学、新潟大学、明海大学、日本大学、二松学舎大学大学院などで、非常勤講師として中国語、中国語学、中国文学、日中比較文学、文学などを担当。編著書に『フレッシュ中国語』(共著)(白水社)、『百字小説』(共著)(白帝社)、『中国の短い小説』(共著)(朝日出版社)、『孫犁文選』(エーアンドエー)など。

超短編小説序論
—中国の微型小説と日本の掌篇，ショートショート

2000年3月15日　初版発行

著　者　渡 邉 晴 夫
発行者　佐 藤 康 夫
発行所　白　帝　社
〒171-0014　東京都豊島区池袋2-65-1
電話 03-3986-3271　FAX 03-3986-3272

組版　柳葉コーポレーション　　印刷　大藤社　　製本　若林製本

ISBN4-89174-430-8
定価はカバーに表示してあります